alfarería
y
cerámica

CERÁMICA

alfarería y cerámica

DAVID HAMILTON

ediciones
ceac

Perú, 164 - 08020 Barcelona - España

Traducción autorizada de la obra:
POTTERY AND CERAMICS

Editado en lengua inglesa por
THE THAMES AND HUDSON

© 1982 Thames and Hudson Ltd.

© EDICIONES CEAC, S.A.
Perú, 164 - 08020 Barcelona (España)
2.ª Edición: Octubre 1989
ISBN: 84-329-8552-x
Depósito legal: B. 38.524-1989
Impreso por: PURESA, S.A.
C/. Gerona, 139 - 08203 Sabadell

Impreso en España
Printed in Spain

Contenido

Agradecimientos

Deseo agradecer a los directores del Museo y Galería de Arte de la ciudad de Portsmouth y de la Galería de Arte de la ciudad de Southampton su autorización para reproducir obras de sus colecciones; a Lee Nordness su ayuda por habernos facilitado ilustraciones procedentes de la exposición "Objects USA"; al Museo y Galería de Arte de Los Ángeles por proporcionarnos ilustraciones de la obra de John Mason (página 74). Mi agradecimiento también a la totalidad del profesorado y el alumnado del departamento de cerámica de la Portsmouth Polytechnic por la paciencia y colaboración mostradas mientras fotografiábamos los procesos y el equipo en la escuela.

David Ash dedicó con gran generosidad su tiempo y su habilidad a fotografiar todas las ilustraciones de los procesos y muchos de los objetos terminados, y la señora R. Rogers pasó mi manuscrito a máquina tras tener que descifrar laboriosamente mis notas; con ambos estoy en deuda, como también lo estoy con Gerry Tucker, autor de los dibujos, y con el doctor B. Daley por sus comentarios al capítulo 2.

Este libro está dedicado a la memoria de Bruce Adams, como reconocimiento de la amistad y los consejos desinteresados que nos brindó a todos quienes fuimos sus discípulos y amigos.

D.H.

Introducción

La finalidad de este libro es presentar al lector los procesos y las técnicas de la cerámica, aunque al margen de las discusiones sobre la filosofía o los principios artísticos y de diseño que suelen suscitarse cuando se trabaja con este medio. No todos los estudiantes asimilan la información al mismo ritmo, y un manual constituye una fuente de consulta, particularmente para aquellos que encuentran dificultades en comprender y asimilar todo lo que han visto o se les ha explicado. La educación artística orientada hacia el alumno, por oposición a la que se basa en la exposición de temas, tiende a retratar las enseñanzas de carácter sistemático; los textos que se apoyan en ilustraciones suelen proporcionar un método de estudio más flexible.

El libro, después de exponer una breve historia de esta forma artística, se adentra en los pormenores de los procesos de la cerámica, comenzando con la descripción de los materiales básicos y terminando con la de los tratamientos de acabado. Asimismo incluye las nociones de teoría que se han juzgado necesarias para aclarar mejor algunos procesos. En lo que al equipo se refiere se hace especial mención de los aspectos más relevantes, de modo que en cada caso puedan contrastarse las distintas opciones con las herramientas disponibles, exceptuando únicamente el capítulo dedicado a los hornos, en el que resultaría improcedente analizar las distintas posibilidades, ya que éstas vienen determinadas por el tipo y las dimensiones de cada horno.

Aunque se podría lograr una mejor comprensión de la ciencia de los barnices con un enfoque más teórico que el que yo he elegido, por propia experiencia he observado que los alumnos de primer año tardan generalmente en responder a estos enfoques. Desde hace años he optado por proporcionar a mis alumnos fórmulas básicas, o fórmulas límite, con vistas a que en cada ocasión introduzcan en ellas una sola variante (por ejemplo, la adición de un mineral o un cambio en la temperatura de cocción), y así van asimilando la experiencia de forma gradual; luego, a comienzos del segundo año, adquieren para ellos un significado mucho más profundo toda una serie de explicaciones sobre los aspectos físicos y químicos de los barnices.

Sería presuntuoso por mi parte pretender que la información que aquí se contiene sea suficiente para la culminación de unos estudios profesionales; de hecho mi intención ha sido la de sentar unas bases prácticas para el estudio de un curso completo de iniciación. Probablemente muy pocos profesores estarán de acuerdo con la forma o el

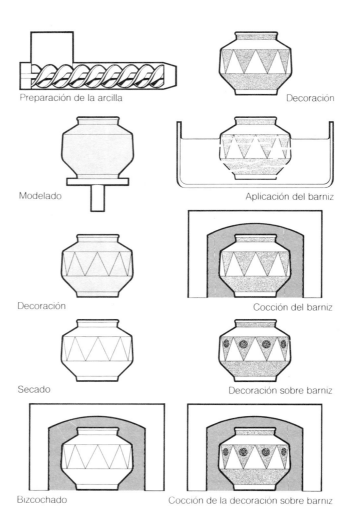

Preparación de la arcilla

Decoración

Modelado

Aplicación del barniz

Decoración

Cocción del barniz

Secado

Decoración sobre barniz

Bizcochado

Cocción de la decoración sobre barniz

Etapas del proceso de manufactura de la cerámica.

contenido precisos de estas bases y, además, no he podido evitar estructurar estas enseñanzas según mi propia idea de lo que puede necesitar un estudiante.

Por otra parte, aunque no es mi intención menospreciar el entusiasmo de los profesores que trabajan en su propio taller, algunos de ellos, al igual que los estudiantes que compaginan el aprendizaje de la cerámica con otras actividades pueden verse abrumados por la variedad de materiales y la amplitud del equipo al encontrarse en un nuevo taller o adquirir nuevas responsabilidades. El presente libro quizá contribuya a resolver algunos de los misterios que rodean a esta forma artística para quienes emprenden su estudio sin las ventajas de una dedicación plena. Debe recordarse que estamos tratando de una artesanía muy antigua cuyas técnicas y secretos sólo pueden asimilarse mediante la experiencia práctica.

En gran número de ciudades existen museos o galerías de arte con colecciones de cerámica cuyo estudio puede ser una fuente constante de información e inspiración para el ceramista.

Es de enorme importancia anotar cuidadosamente los resultados que se obtienen, por más que tal cosa parezca al principio una pérdida de tiempo, pero nada hay tan desesperante como ser incapaz de repetir una textura o un color acertados, conseguidos con anterioridad, por carecer de datos acerca del procedimiento utilizado.

Y, para terminar, un poco de filosofía. La habilidad y la técnica no son virtudes en sí mismos, sino medios para conseguir un fin. Jamás he visto una pieza de cerámica interesante que estuviera mal realizada y en cambio he visto gran cantidad de ellas (tanto manuales como industriales) perfectamente ejecutadas, pero sin ninguna gracia. Al estimular la destreza del futuro artesano lo que hacemos es agudizar su sensibilidad. La artesanía ha llegado a identificarse con ciertas "habilidades" manuales en detrimento de la imaginación artística con una base artesana, en la que el equilibrio entre arte y artesanía debe ser respetado.

"La fuerza motriz del artista es el impulso creativo, y el material es el medio del que el artista se sirve para hacer realidad este impulso" – Paul Klee.

Vasija egipcia de arcilla roja
pulida decorada en blanco,
h. 3500 a. de J.C.

1. La evolución de la cerámica

Debido a la misma naturaleza del proceso de la cerámica, que exige un emplazamiento permanente y un entorno estable para florecer, las más antiguas muestras conocidas de esta forma artística proceden de aquellas regiones del mundo en donde apareció por primera vez una sociedad agraria estable. Estos primeros objetos (*c.* 10.000 a. de C.) son pequeñas figuras que probablemente se utilizaban en ceremonias religiosas o mágicas. Siendo la arcilla un material abundante en la naturaleza, pronto se descubrió que el calor la hacía más duradera, e incluso tan dura como la piedra si se sometía a suficiente temperatura. El desarrollo de formas cóncavas para guardar o cocinar alimentos es posterior. A lo largo de toda la historia el artesano ha modelado la arcilla con formas que le eran familiares, de ahí que estas primeras piezas se asemejen a frutas, cestas o recipientes de piedra. Más tarde, a raíz del descubrimiento de las técnicas para la formación de los metales, se imitaron en arcilla las piezas realizadas en metal. El empleo de la arcilla para imitar otros materiales se repite con frecuencia a lo largo de los siglos.

Estos primeros objetos de cerámica de que se tiene noticia proceden de Egipto y del Próximo Oriente, que fueron los primeros lugares del mundo en adquirir una estructura social definida. Los objetos de alfarería de color se conocían ya en el siglo V. a de C., y por su elevada calidad se comprende que no fueran cocidos en simples hogueras, como lo ha corroborado el hallazgo de verdaderos hornos. En su elaboración debió emplearse algún tipo de torno, si bien casi todas las opiniones coinciden en que el primer empleo de este utensilio tuvo lugar en Egipto hacia el año 2000 a. de C. También datan de esta época los primeros barnices, pues hasta entonces sólo se conocía el método de bruñir la superficie de la arcilla para restarle porosidad después de la cocción. Los barnices alcalinos eran los más empleados aunque también se conocían los de frita de plomo. Todos los procesos de cocción se llevaban a cabo a temperaturas relativamente bajas y, en concreto, los barnices solían cocerse con tan poco calor que en su mayor parte han desaparecido, no dejando para la posteridad más que unos leves indicios de su primitiva belleza. Paralelamente a la evolución de la alfarería se desarrolló la manufactura y decoración de ladrillos y azulejos, empleándose normalmente arcilla sin cocer reforzada con paja, aunque en la construcción de grandes edificios públicos, particularmente en Asiria, se utilizaban con preferencia piezas modeladas y cocidas por ser más duraderas y elegantes.

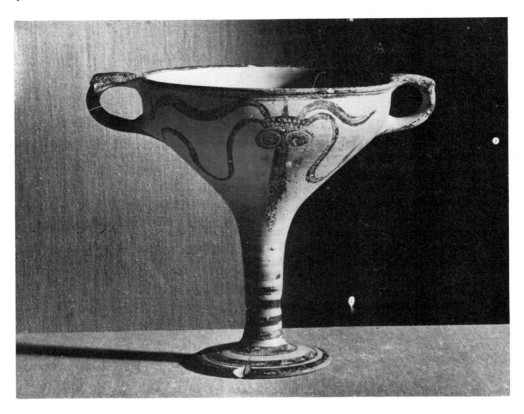

Cáliz de Knossos (minoico tardío III, h. 1200 a. de J.C.), conocido con el nombre de la Copa del pulpo. Pieza modelada en el torno sin barnizar, con decoración pintada.

Jarrón griego: pieza modelada en el torno y decorada con imágenes pintadas con barbotina de color; sin barnizar.

Esta evolución de la técnica promovió la producción de objetos de cerámica y alfarería en cantidades suficientes para permitir intercambios comerciales con los países vecinos. Las nuevas técnicas y los diseños se difundieron con rapidez por todo el mundo conocido, extendiéndose los contactos comerciales hasta China, cuya tradición en esta forma de artesanía data del 2000 ó el 3000 a. de J.C. En la cerámica china ejerció particular influencia el descubrimiento del procedimiento de fundición del bronce, que favorecería la aparición de un estilo de alfarería con formas similares a las de las piezas de metal. Pero uno de los jalones de mayor importancia fue la aparición de las técnicas cerámicas de alta temperatura, que data de los siglos III o IV a. de J.C.

Aunque en Europa se practicaba ya la alfarería dos o tres mil años antes del inicio de nuestra era, fue en las islas del Mediterráneo y en los países situados en las rutas comerciales marítimas y terrestres con el Oriente Próximo donde alcanzó mayor desarrollo. Las piezas halladas en Creta, que se remontan al 1500-1000 a. de J.C., son de carácter utilitario pero gozan de la calidad y el estilo decorativo que los griegos perfeccionaron entre el 700 y el 500 a. de J.C., dando lugar a las formas de la antigüedad clásica, cuya exquisitez poco debe a la calidad natural de la arcilla, pues fueron modeladas no tanto para dotar de expresividad a un material como para adaptarlas a un ideal estético. La mayor parte de estos objetos tenían carácter ritual, empleándose para usos domésticos una loza más simple. Estas magníficas representaciones en dioses y

Vasija aretina en forma de cuenco hecha en Toscana entre los años 30 a. de J.C. y 40 d. de J.C. Se ha perdido una peana acampanada que le servía originalmente de base.

mitos clásicos se realizaban con un material denominado *terra sigillata* (véase página 112) y son de extraordinario valor como principal fuente de información sobre el estilo y la calidad de la pintura griega de la época.

Con el establecimiento de Roma como poder político e imperial, las ideologías y las concepciones filosóficas de Grecia se extendieron por toda Europa llegando incluso hasta Escocia. Hasta entonces, las técnicas y los diseños se asemejaban a los de cualquier sociedad agraria rudimentaria, pero, a raíz de la conquista, la cerámica tuvo que adaptarse en estilo y calidad a los niveles a los que estaban acostumbrados los conquistadores. Llama especialmente la atención la uniformidad de los resultados conseguidos en los diferentes países. Es de particular importancia la decoración en relieve a imitación de las técnicas de moldeado de metales. Escasean las piezas barnizadas a pesar de que ya se conocían por entonces las técnicas de barnizado y vidriado. El declive de la influencia romana supuso el retorno de toda Europa a una situación próxima al caos; perdiéndose el impulso que la romanización había proporcionado a la cerámica. Las calidades, técnicas y diseños quedaron sujetos a las influencias bárbaras. Las formas conservaron toda su importancia, pero las innovaciones técnicas fueron muy escasas; en general, las piezas se modelaban sencillamente en el torno, se decoraban con engobes y, ocasionalmente, cubrían con un barniz de plomo impermeable, sobre todo por el interior.

En tanto se producían el auge y posterior caída del Imperio Romano, la cerámica prosiguió su evolución en China. Aunque parece verosímil que el empleo del plomo como barniz de baja temperatura fuera importado de Occidente, el desarrollo del gres de alta temperatura hacia el año 300 a. de J.C. y de la porcelana blanca en el siglo IX d. de J.C. dominaría el mundo de la cerámica durante cerca de mil años.

En la sociedad china, al igual que en muchas otras, existía la costumbre de enterrar objetos y vasijas de cerámica con los difuntos. Las figuras y animales que datan del período T'ang (618-906 d. de J.C.) son ejemplos particularmente valiosos. El período Sung (960-1279) es célebre por la excelencia de sus piezas, que denotan un alto grado de desarrollo técnico.

Sólo con el advenimiento del Islam en el Oriente Próximo (siglo IX d. de J.C.) pudo observarse un progreso comparable al alcanzado por los alfareros chinos. Entre los países islámicos y China se estableció un comercio regular, cosa lógica al tratarse de los dos imperios más poderosos de Asia. Los persas exportaban su cerámica azul con brillos cobrizos e importaban porcelana china, y, al intentar reproducir ésta, crearon los barnices blancos de estaño sobre los cuales aplicaban esmaltes lustrosos. Este tipo de piezas se difundieron a través de Bizancio hasta Europa y el Norte de África.

La proximidad de España y Portugal al Norte de África hizo inevitable su sumisión a la influencia árabe (siglo XII), que fue particularmente evidente en el empleo de los esmaltes y en el alicatado de fachadas al estilo persa. A su vez España y Portugal llevaron esa influencia allende sus fronteras al conquistar su imperio colonial americano sobre todo a lo largo del siglo XVI.

En el resto de Europa las piezas de alfarería y cerámica conservaron su sencillez, aunque sin perder carácter. Espolvorear con mineral de plomo (galena) las piezas verdes antes de su cocción era una práctica común en todo el continente a lo largo de la Edad Media. Los engobes, con o sin barniz, constituyeron la forma más corriente de decoración hasta la introducción de los barnices blancos y el posterior desarrollo de las arcillas claras.

El barniz de estaño, originario del Próximo Oriente, pasó a España, y, posteriormente, a Italia, a través de Mallorca (de ahí su denominación de "mayólica"). Hacia el siglo XV en los estados italianos se producían varios tipos de cerámica decorada con color aplicado sobre el barniz y cocido en la misma cocción para que el dibujo quedase protegido por la cubierta. Esta técnica, junto con la pintura de esmalte sobre barniz cocido, dominó la cerámica europea hasta el siglo XVIII.

La otra innovación técnica significativa en Europa fue la del gres de alta temperatura con vidriado de sal. Se desarrolló en Alemania, donde ya existía una tradición de cerámicas de alta temperatura que, incluso sin barnizar, era superior en calidad a la loza con barniz de plomo fabricada en el resto de Europa.

Durante el siglo XVI y, sobre todo, en el XVII, al sustituir las rutas marítimas a las terrestres, la porcelana china empezó a extenderse por Europa. Las piezas con barniz de estaño empezaron a pintarse al estilo chino y, con el tiempo, las formas tendieron también a asemejarse a las orientales.

Tanto por razones de economía como de estética pronto se despertó el interés por la fabricación de auténtica porcelana. Gran parte de los experimentos para su reproducción fueron promovidos y financiados por duques y príncipes. Entre los centros más importantes destacaron Florencia, bajo los Médicis en los siglos XV y XVI, Meissen bajo los soberanos de Sajonia a partir de 1708, Saint-Cloud en Francia durante el siglo XVII, la fábrica de porcelana real danesa y Sèvres, en Francia, a lo largo del siglo XVIII.

En Inglaterra, John Dwight produjo en Londres durante el siglo XVIII un gres similar al fabricado en Alemania, y hacia 1750 se fabricaba porcelana en Chelsea.

Mientras el resto de Europa buscaba una fórmula económica para la producción de porcelana, en Inglaterra los intereses de los ceramistas se centraban en la reciente invención de la loza blanca o crema con barniz de plomo. Al no existir un patrocinio real, el desarrollo de la cerámica inglesa recargó enteramente en particulares, como Josiah Wedgwood. Su célebre loza jaspeada surgió hacia 1770, a partir de experimentos financiados con la fortuna que el artesano reunió gracias a la manufactura de la loza crema, denominada "Queen". Mientras él y otros como él se enriquecían, sus talleres crecieron hasta convertirse en fábricas muy parecidas a las que hoy conocemos, que producían piezas obtenidas con moldes de yeso de París (descubierto en 1750) y, en general, con decoración estampada en vez de pintada. La porcelana de huesos, creada por Spode en 1750, tuvo una buena acogida en el mercado.

Al ser más bajos los costos de producción, la cerámica inglesa se abarató y fue exportada en grandes cantidades al resto del mundo. Su calidad técnica se mantuvo constante, pero con el tiempo fue devaluándose el diseño de la mayor parte de los objetos manufacturados, lo que provocó, en 1860, la reacción capitaneada por William Morris que se ha

Botella Bellarmine alemana de gres con vidriado de sal, h. 1660.

Jarrón de porcelana Wedgwood, con el tema "La apoteosis de Homero" *The apotheosis of Homer,* diseñado por John Flaxman.

dado en llamar el "renacimiento de las artesanías" y que perseguía la mejora de la calidad mediante una concepción más artesanal de los sistemas de producción.

Este resurgimiento del arte y la artesanía se extendió al resto del mundo industrializado y propició el restablecimiento de los contactos con los ceramistas del Lejano Oriente. En la actualidad, la mayoría de los ceramistas artesanos del mundo occidental trabajan conforme a esta tradición. En Estados Unidos, durante los años cincuenta, diversos artistas abordaron la cerámica con planteamientos inspirados en el denominado expresionismo abstracto. Ligados por una experiencia común, los pintores, escultores y ceramistas encontraron nuevos valo-

S. G. White, de Kenneth Price, 1966. Escultura de arcilla cocida y pintada.

Aratsa, de Peter Voulkos, 1968. Modelada en dos piezas en el torno, sin barnizar.

res en las formas de expresión ajenas. Y, en lo que respecta a la industria, ésta se encuentra dividida entre la producción de objetos de uso doméstico y la de artículos de elevada tecnología destinados a las industrias eléctricas y de ingeniería. Las formas y calidades de estos objetos industriales ejercen una influencia considerable en el trabajo de algunos creadores de cerámica artística.

2. La naturaleza de la arcilla

Antes de hablar de la naturaleza de la arcilla es conveniente recordar que se trata de un material de origen natural, formado a través de procesos geológicos. La arcilla no tiene una fórmula determinada[*] y todos los tipos existentes son mezclas de minerales con una elevada proporción de "minerales arcillosos" tales como la caolinita.

Como se sabe, la tierra está cambiando constantemente. El paisaje que vemos nos parece siempre inmutable, sin embargo a lo largo de millones de años el mundo ha sufrido una transformación, probablemente de una masa gaseosa caliente a una masa con un núcleo caliente compuesto de materiales pesados, recubierto por una corteza de materiales solidificados, rodeada, a su vez, por una liviana capa gaseosa, la atmósfera. La corteza es continua, de espesor variable y está formada por placas cuya disposición es comparable a la de los fragmentos de un cascarón de huevo roto y recompuesto de nuevo. Estas placas se mueven por la acción de las fuerzas que se generan en el interior de la naturaleza líquida, y sus cambios relativos de posición dan lugar a terremotos (como ocurre en la falla de San Andrés) y a la formación de montañas a lo largo de períodos muy prolongados. En las zonas de corteza delgada la masa fundida del interior rompe en ocasiones esta corteza, sale al exterior en forma de lava, dando origen a los volcanes. El movimiento de la corteza contribuye a modificar el paisaje como lo hace también la acción de los elementos, y esta transformación es el resultado de la traslación del material desprendido que es arrastrado por arroyos y ríos hasta los lagos o el mar. A veces, los lechos de estos lagos o mares son nuevamente levantados y el proceso se inicia otra vez.

Una elevadísima proporción de las rocas que forman la corteza terrestre son del tipo llamado "feldespático" (el granito es el ejemplo más conocido), es decir que contienen en proporciones variables un mineral denominado feldespato. Allí donde éste mineral ha sido sometido a la acción del agua sufre determinados cambios, uno de los cuales se denomina "caolinización". En el transcurso del tiempo, las rocas feldespáticas se descomponen formando depósitos de caolín, material éste que interviene a su vez en la formación de muchas arcillas. Por regla general estos depósitos contienen impurezas que han sido arrastradas por las aguas. Sin embargo en algunos lugares, la caolinización no se produce por efecto del agua en movimiento sino por la acción de vapor caliente que emana del interior de la tierra. La caolinización resultante de este

[*] Una selección de definiciones:
1 La arcilla es una roca de grano fino que, al ser triturada y pulverizada convenientemente, se hace plástica al humedecerse y adquiere consistencia de cuero al secarse, y al ser cocida se convierte en una masa pétrea permanente (American Ceramic Society).
2 Arcilla: aluminosilicatos con otros componentes menores, aunque importantes.
3 Arcilla: una tierra natural fusible.

proceso, denominado "hidrotérmico", produce unos depósitos de caolín muy puros como los yacimientos de arcilla de China de Devon y Cornualles en Gran Bretaña y los de Carolina del Norte en Estados Unidos.

Las arcillas que se encuentran en el mismo lugar de la descomposición se denominan arcillas "residuales" o "primarias", y las que son arrastradas por arroyos, ríos o glaciares para ser depositados en otro lugar, arcillas "sedimentarias" o "secundarias".

YACIMIENTOS DE ARCILLAS SEDIMENTARIAS

Por ser el agua el principal vehículo de arrastre de la arcilla, los yacimientos de arcilla sedimentaria se encuentran generalmente en orillas de afluentes y lechos de lagos, estuarios o mares, es decir, donde decrece la velocidad de las aguas que arrastran el material. Allí donde se produce este descenso gradual del caudal de agua, como sucede por ejemplo en la confluencia de un río con un lago, se depositan en primer lugar los materiales pesados tales como piedras y arena, mientras que la arcilla, que se cuenta entre los más ligeros, lo hace en último lugar. En los lechos de los lagos grandes pueden hallarse yacimientos relativamente puros, en los que la arcilla de partículas gruesas se encuentra cerca de la boca del río, disminuyendo el tamaño de las partículas en la zona más alejada. La arcilla transportada por los ríos hasta el mar suele acumularse en depósitos debido a la acción ondulatoria del agua, si bien, por efecto de las mareas y el oleaje, tiende a estar mezclada con arena y materiales similares. En las zonas sometidas a la acción de los glaciares, la arcilla, junto con otros materiales, puede haber sido arrastrada por el hielo desde su lugar de origen. Suele denominarse arcilla pedregosa porque se encuentra por lo general mezclada con guijarros y piedras grandes, dejados atrás por el glaciar al retirarse.

Del contenido del párrafo anterior no debe deducirse que la arcilla sufre un único traslado a partir de su formación. Por el contrario, hay pruebas de que algunas han sido arrastradas en numerosas ocasiones a lo largo de los siglos, siendo una manifestación de ello las impurezas y

Depósito de arcilla en la confluencia de un río con un lago.

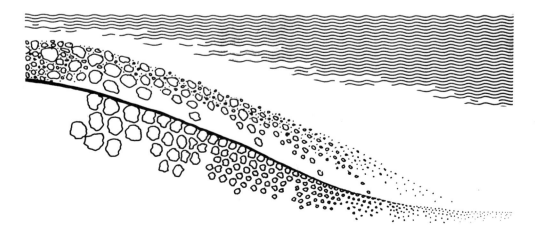

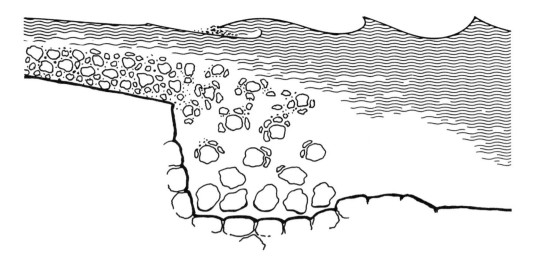

defectos que presentan. Los depósitos residuales puros son raros, en cambio los sedimentarios son múltiples y muy diversos. En realidad no existen yacimientos de arcilla pura, pues incluso las arcillas residuales contienen algunas impurezas ya que consisten en la asociación de varios minerales de arcilla con otros minerales. Las arcillas residuales se caracterizan por su calidad refractaria (apenas se funden por debajo de los 1.750°), su relativa pureza, el color blanco que adquieren después del bizcochado y su falta de plasticidad (no conservan la forma después de ser moldeadas).

En cambio, las arcillas sedimentarias son plásticas, y pueden adquirir muy diversas tonalidades después de la cocción, desde el blanco al marrón oscuro, según el tipo y la cantidad de las impurezas acumuladas durante su arrastre. Generalmente se funden entre los 1.150° y 1.500°. Las arcillas sedimentarias carentes de contaminación se denominan arcillas "de bola" y constituyen excelentes aditivos para mejorar la plasticidad de las arcillas residuales sin alterar su blancura.

Floculación y depósito de la arcilla en la confluencia de un río con el mar.

EXTRACCIÓN DE LA ARCILLA

La arcilla se extrae mediante excavaciones en galerías o al aire libre según la situación y la naturaleza exacta del depósito. Por regla general, el caolín se lava con agua a presión y se escurre en un decantador al objeto de separar las impurezas más pesadas. Las arcillas sedimentarias pueden extraerse en pozos abiertos, cuando presentan una consistencia firme pero no seca, o mediante agua a presión cuando se encuentran secas y duras. A veces los cambios geológicos provocan la inclinación de las capas de arcilla dando lugar a que ésta se encuentre a profundidades tan variables que el trabajo de extracción de una misma capa puede iniciarse a nivel de la superficie y proseguirse en galerías profundas.

La plasticidad es una característica muy valiosa que se genera en la arcilla mediante procesos geológicos a través del movimiento, la reducción del tamaño de las partículas y, por último, la sedimentación. Las

Distribución de las partículas en una arcilla residual.

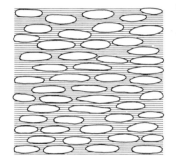

Distribución de las partículas en una arcilla sedimentaria.

partículas de arcilla son comparables a pequeñas placas que, si se dejan flotar en agua y sedimentar después, lo hacen muy despacio, como las hojas de los árboles al caer, presentando siempre la zona de máxima superficie orientada en la dirección de la caída. Las arcillas residuales se componen de partículas gruesas dispuestas en diferentes inclinaciones, en cambio, en las sedimentarias aquéllas son más pequeñas y, en su mayoría, se distribuyen en planos paralelos. Esta alineación es tanto más acentuada cuantas más veces haya sido sometida la arcilla al proceso de sedimentación y tiene la ventaja de permitir que el agua penetre más fácilmente a través de la masa de arcilla, cubriendo cada partícula con una delgada película que a su vez facilita que las partículas se deslicen suavemente unas sobre otras durante el proceso de modelado y permanezcan en esa posición durante el secado y la cocción.

Conversión del feldespato en arcilla:

CAOLINIZACIÓN	COMPOSICIONES QUÍMICAS
feldespato acción del agua	sílice, alúmina, álcalis
caolín descomposición	sílice, alúmina, agua, algunas impurezas
arcilla residual arrastre	sílice, alúmina, agua, algunas impurezas
arcilla sedimentaria	sílice, alúmina, agua, impurezas partículas más menudas dispuestas en planos paralelos

Conversión del feldespato en arcilla de China:

feldespato acción hidrotérmica	sílice, alúmina, álcalis
caolinita descomposición	sílice, alúmina, agua
arcilla de China	sílice, alúmina, agua

COMBINACIONES DE ARCILLA Y AGUA

1. Las dos principales formas de combinación del agua con la arcilla son las siguientes: (*a*) combinación química, en la que el agua se desprende a temperaturas comprendidas entre 225° y 550°, y (*b*) mezcla del agua con las partículas de arcilla, en la que el agua se evapora a lo largo del proceso de secado y desaparece por completo a una temperatura de 100°.
2. Una masa de arcilla se expansiona cuando se le añade agua y se contrae cuando ésta se le suprime.
3. Las arcillas de grano fino absorben y liberan el agua más despacio que las de grano grueso.

4. Como la arcilla absorbe y deja escapar el agua a través de su superficie, cuando más pequeña sea una masa de arcilla, más rápidas serán la absorción y la evaporación del agua que contiene.

5. Existe un punto a partir del cual una arcilla no admite ser mezclada con más agua sin una alteración fundamental de su estado. A partir de este punto la mezcla se disgrega y no es adecuada para modelar.

6. El agua caliente penetra en la arcilla más rápidamente que la fría y acelera por tanto este proceso de disgregación.

7. Cada arcilla varía en la cantidad de agua que pueda absorber sin que la masa se disgregue.

3. Preparación de la arcilla

En el capítulo anterior se han descrito los métodos de extracción de la arcilla junto con los minerales que ésta lleva asociados, y el que aquí comienza trata de los procesos a que debe someterse el material para que reúna las propiedades que facilitan su trabajo. Las siguientes definiciones tienen por objeto aclarar ciertas confusiones provocadas por la terminología diversa que emplean por lo general fabricantes y proveedores.

Arcilla: cualquier material cuya composición incluye minerales de arcilla, sean cuales sean sus propiedades físicas; normalmente se emplea para referirse a las arcillas naturales que se extraen de la tierra.

Cuerpo: mezcla de arcillas naturales y minerales llevada a cabo con la finalidad de obtener un material adecuado para la elaboración de piezas cerámicas.

Pastas: cuerpos que se cuecen hasta el punto máximo de vitrificación que puede alcanzarse sin que se produzca enconchamiento. Las porcelanas de pasta dura (alta temperatura) y pasta blanda (baja temperatura) son translúcidas después de la cocción.

Por regla general, en la actualidad los ceramistas compran la arcilla a proveedores, los cuales, o bien se encargan de su extracción o son simplemente almacenistas de las diferentes calidades existentes en el mercado; en ambos casos, la arcilla puede adquirirse tal como se extrae de la tierra o ya mezclada con otros materiales, formando un cuerpo con determinadas propiedades. Los cuerpos adquiridos a un buen proveedor apenas requieren preparación previa a su modelado.

El proveedor prepara la arcilla eliminando los cuerpos extraños con los que está mezclada en la tierra. Para ello se desmenuza aquélla en partículas de tamaño conveniente y se mezcla con agua en un tanque de movimiento rotatorio que, al cabo de varias horas, disuelve en el agua las partículas de arcilla más finas, mientras que las más gruesas quedan sedimentadas en el fondo del recipiente. La suspensión de arcilla se hace pasar por una serie de tamices, el más tupido de los cuales, que suele ser de malla 200, sólo deja pasar las partículas más finas. La suspensión resultante se pasa a continuación por un electroimán que suprime las partículas de hierro que pudieran estar presentes en el depósito original (o procedentes de las máquinas utilizadas en los procesos anteriores). La arcilla, todavía en suspensión, se introduce en una prensa de filtros, consistente en una serie de bolsas de lona que se comprimen mecánicamente para extraer el agua, tras lo cual el material queda en las bolsas en forma de tortas moldeables. Éstas pueden secarse y triturarse para obtener arcilla seca en polvo, o bien hacerse pasar por una amasadora mecánica que extrae el aire. La amasadora consta de tres secciones: la primera incluye una tolva que desemboca en una cámara de mezclado donde la arcilla se desmenuza en fragmentos. La segunda es una cámara de vacío en donde se elimina todo el aire de la arcilla con el fin de aumentar su plasticidad, ya que el agua circula más fácilmente por entre las partículas en ausencia de aire. La tercera y última sección es un conducto que se adelgaza hacia la salida a través del cual la arcilla pasa comprimida formando una masa homogénea que sale de la máquina en una extrusión continua. Ésta se corta a continuación en trozos de longitud conveniente y se embala en bolsas de plástico para facilitar su transporte.

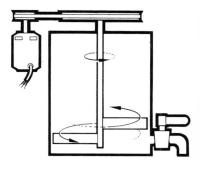

Mezcladora

MODIFICACIÓN DE LAS PROPIEDADES DE LA ARCILLA

Después de ser sometida a prueba, la arcilla que no reúne alguna o varias de las cualidades que son necesarias para su empleo en alfarería o cerámica, puede ser mejorada.

La destinada a ser modelada en el torno debe tener suficiente plasticidad para que admita fácilmente la forma que se le da y la conserve una vez torneada. Pero un exceso de plasticidad la vuelve resbaladiza y difícil de controlar. Asimismo, es preciso que esta arcilla no se encoja excesivamente ni se agriete durante el secado. Las arcillas de escasa plasticidad son difíciles de modelar y tienden a agrietarse durante el proceso de formación.

En cambio, las arcillas excesivamente plásticas, como la montmorillonita, por ejemplo, han de mezclarse con arcillas poco plásticas para obtener cuerpos satisfactorios. Las inclusiones de minerales en forma de partículas de mayor tamaño suelen reducir el índice de plasticidad y encogimiento de las arcillas.

Prensa de filtros

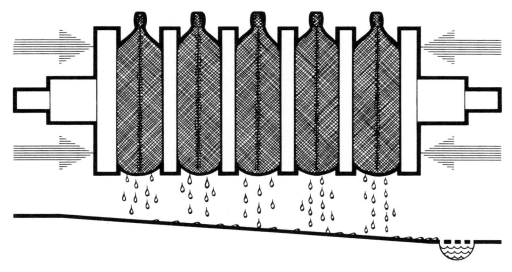

Dos teteras japonesas del siglo XIX con veteado de ágata, modelado en el torno con arcillas de dos tonos contrastantes.

Las arcillas de escasa plasticidad se mejoran moliéndolas (para reducir el tamaño de las partículas) o dejándolas a la intemperie, durante un período prolongado, para que el frío, la lluvia y el sol redistribuyan las partículas. Este último es un proceso sumamente lento que no suele ser empleado en el comercio. Entre otros procedimientos se incluye la adición de arcillas muy plásticas (como la bentonita, por ejemplo) o de arcillas añejas con desarrollo basteriano. La falta de plasticidad puede ser debida simplemente a un exceso o un defecto de agua, pero en tales casos la causa resulta evidente. La arcilla demasiado hidratada debe secarse, aunque en el caso de masas de gran tamaño es preciso amasar periódicamente la arcilla para evitar que sólo se evapore el agua de las capas externas.

La preparación de la arcilla en una amasadora mecánica (véase página 94) aumenta su plasticidad y permite la incorporación de agua durante el proceso. La arcilla destinada a la manufactura de piezas de grandes dimensiones debe contener un elevado porcentaje de materiales gruesos, tales como arena o chamota (arcilla cocida, triturada y molida en distintos grosores), con objeto de que pueda evaporarse más fácilmente el agua, para la formación de la arcilla, durante el proceso deseado.

Todas las arcillas incluyen algunos materiales que, al fundirse la cocción, contribuyen a la solidez y la cohesión de la pieza. Si la arcilla adolece de insuficiencia de fundentes, puede mejorarse añadiéndola feldespato, plomo, calcio o magnesio, por regla general en forma de compuestos minerales, según la temperatura de maduración deseada. Para aumentar las cualidades refractarias de una arcilla demasiado rica en fundentes puede añadirse chamota, pedernal, arcilla refractaria o arena. Las arcillas rojas son las que se tratan por este procedimiento con más frecuencia, ya que tienden a reblandecerse en exceso a alta temperatura.

Comprobación de las propiedades de la arcilla

Es conveniente probar cualquier tipo de arcilla que vaya a emplearse, incluso aunque proceda de un proveedor de confianza. Esto puede hacerse con rapidez formando varios rollos de un centímetro y medio de diámetro y siete centímetros de longitud aproximadamente con arcilla de cada partida, y doblándolos a continuación en forma de anillos. Luego, se dejan secar bien antes de cocerlos a las temperaturas deseadas. También se aconseja probar la reacción al barniz sobre estos mismos aros o sobre unas planchas de arcilla, efectuando las oportunas indicaciones al proveedor en el caso de que se observe alguna anomalía.

MODIFICACIÓN DEL COLOR DE LA ARCILLA

Normalmente, la única modificación que puede efectuarse sobre el color de la arcilla es oscurecerla. Para obtener colores claros, por lo tanto, es preciso que el cuerpo sea inicialmente blanco; para obtener colores oscuros cabe emplear una arcilla negra o roja.

En el mercado existen tintes para arcilla que deben utilizarse siguiendo las indicaciones del fabricante.

Arcilla seca

Arcilla disuelta

Molde de yeso

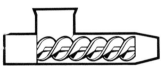

Amasadora

Preparación de la arcilla.

El sistema tradicional para teñir la arcilla consiste en la adición de óxidos metálicos, y los tintes comerciales son compuestos de óxidos metálicos y materiales cerámicos.

A continuación se dan algunas sugerencias sobre el empleo de óxidos para este particular, junto con las porporciones en que han de ser añadidos. Los porcentajes más altos corresponden a las tonalidades más oscuras.

ÓXIDO	%	COLOR RESULTANTE
óxido de hierro	2 a 6	marrón
óxido de cobalto	1/2 a 3	azul
óxido de cobre	1 a 4	verde
pentóxido de vanadio	8 a 11	amarillo
óxido de hierro	3	
cobalto	2	negro
óxido de manganeso	3	

También pueden emplearse otros óxidos con excelentes resultados, permitiendo experimentar la mezcla de distintos óxidos para obtener una amplia gama de matices y tonalidades. El hierro y el níquel se emplean normalmente para oscurecer los colores; siempre que vayan a añadirse varios óxidos a una misma arcilla se recomienda que el peso total de éstos no supere el 8 % del de la arcilla, pues de no hacerlo así se corre el riesgo de que el metal actúe como fundente sobre la arcilla al ser cocida la mezcla a elevadas temperaturas.

Asimismo es aconsejable efectuar diferentes pruebas en el caso de que la arcilla vaya a ser cubierta con un barniz, pues éste puede alterar por completo el color del cuerpo.

MODIFICACIÓN DE LA TEXTURA DE LA ARCILLA

A veces, por razones prácticas o estéticas, puede ser conveniente modificar la textura de la arcilla. Ya hemos mencionado las alteraciones de índole práctica y, a continuación pasamos a describir los dos tipos de materiales que se utilizan para modificar las calidades de textura de la arcilla.

Entre los materiales *combustibles* se incluyen el serrín, las hojas, la ceniza o cualquier material vegetal. Se añaden a la arcilla amasándolos con ella (página 81) o simplemente se introducen a presión en la superficie. Durante la cocción se queman dejando cavidades en la pieza terminada, de ahí que no deban utilizarse en fragmentos demasiado grandes para evitar que el objeto se agriete durante el secado. Es aconsejable ventilar bien el horno durante la cocción de las piezas sometidas a este tratamiento.

Entre los materiales *refractarios* destacan la arena, la arcilla refractaria triturada y la chamota. Se mezclan con la arcilla de igual modo que los anteriores y deben emplearse en partículas pequeñas.

Las arcillas tratadas con colorantes o aditivos para modificar su textura se guardarán separadas de otras arcillas para evitar la contaminación de éstas.

Tanto por falta de experiencia como por las incidencias normales del proceso de manufactura de las piezas resulta inevitable que sobre algo de arcilla al final; esta arcilla también debe guardarse en recipientes de plástico (uno para el sobrante de cada trabajo), para evitar la contaminación. Una vez llenos los recipientes hasta sus dos terceras partes se añade agua hasta cubrir la arcilla por completo. Al cabo de varios días la arcilla seca mezclada con agua habrá adquirido una consistencia semejante a la del barro y el agua sobrante puede extraerse con un sifón. La papilla de arcilla se deposita seguidamente en recipientes de yeso de París o de madera, en los que, transcurridas veinticuatro horas habrá adquirido una consistencia plástica por su parte inferior, tras lo cual debe dársele la vuelta para que se seque uniformemente por todas partes. Cuando la arcilla esté lo suficientemente consistente para ser manejada sin que se deforme, debe molerse en una amasadora mecánica o, en caso de que esto no fuera posible, amasarse a mano hasta que de nuevo resulte modelable.

Es muy importante extremar las medidas para que ninguna materia extraña, especialmente el yeso, contamine la arcilla de modelado (véase página 141, "Cráteres de yeso").

4. Tipos de hornos

Generalmente la clasificación de los hornos se establece en función del tipo de combustible empleado para la obtención de calor, pero también se hace a veces según las temperaturas que pueden alcanzarse o las dimensiones de la cámara. El horno, que es la pieza principal del equipo del ceramista, ha de ser debidamente manipulado y conservado para obtener de él un rendimiento fiable y duradero. En otros tiempos, para el buen funcionamiento de un horno se requería una experiencia previa de muchos años, pero los hornos actuales son menos exigentes.

HORNOS ELÉCTRICOS

De todos los diferentes tipos de hornos que pueden encontrarse en un taller de cerámica el más corriente es el eléctrico intermitente. (El término "intermitente" hace referencia a los hornos que se calientan y luego se dejan enfriar, a diferencia de los hornos en forma de túnel, que se mantienen constantemente encendidos, en los que los objetos que van a cocerse son trasladados en vagonetas desde el acceso de carga hasta el de salida). Por regla general este horno consta de una caja de acero revestida interiormente de ladrillo y provista de una puerta en su parte superior ("carga superior") o lateral ("carga frontal"). El calor es generado por el paso de la corriente eléctrica a través de unas resistencias de alambre encajadas en surcos situados en las paredes, el suelo y, a veces, también la puerta. La resistencia de alambre se calienta por efecto del paso de la corriente. El ladrillo aislante que normalmente reviste el interior de estos hornos es muy blando y poco resistente a los golpes, de ahí la necesidad de que la cámara vaya protegida exteriormente por una estructura de acero. La ventaja principal de este tipo de ladrillo reside en que impide que salga al exterior el calor generado dentro del horno. Casi todos los modelos llevan un orificio en la parte superior y otro en la puerta, ambos provistos de sus correspondientes tapones de ladrillo (denominados "bitoques"). El tapón del orificio superior, o respiradero, se quita para dejar salir el vapor que desprende la arcilla al calentarse, y el de la puerta, para poder observar el interior del horno.

Estos hornos se fabrican en casi todos los tamaños, y aquellos modelos en los que la altura de la cámara es considerablemente mayor que su profundidad suelen estar dotados de elementos intercalados. Los más grandes llevan normalmente más de un orificio en la puerta al objeto de poder ver las diferentes partes del interior, así como uno de mayor tamaño en la parte superior, cubierto por un "regulador de tiro", que es una tapa de ladrillo susceptible de ser abierta y cerrada mediante una palanca situada a un lado del horno. Los hornos eléctricos intermitentes no precisan chimeneas.

Tanto su manufactura como su instalación son relativamente sencillas, y además cuentan con la ventaja adicional de poder cambiarse de sitio sin grandes dificultades en caso de que fuera necesario hacerlo. Normalmente se adquieren ya montados debido a que el ladrillo refractario no plantea dificultades de transporte a causa de su liviandad, aunque también pueden montarse en el sitio destinado a su instalación si existieran problemas de acceso. La instalación consiste simplemente en efectuar las conexiones eléctricas a la red.

Atmósfera del interior del horno

La atmósfera del interior de un horno eléctrico es neutra, porque durante la cocción no se produce ni consumo de oxígeno ni corrientes que puedan oxigenar el aire. Más adelante se explican los métodos de cocción con este tipo de hornos (página 36); no obstante, hay que tener en cuenta que las resistencias al descubierto están protegidas por una capa de óxido que va acumulándose a lo largo de sucesivas cocciones. Una atmósfera exenta de oxígeno reduce el grosor de esta capa, debilitando las resistencias, por lo cual, a menos que cada cochura de reduc-

Tres hornos eléctricos intermitentes. El más grande lleva un único termopar, y cada uno de los pequeños un termopar para la medición de la temperatura y otro para el control de la misma. Debajo de ambos se ve un conmutador automático que interrumpe el paso de electricidad al abrirse la puerta.

Vista posterior de un horno de pruebas con el panel trasero retirado para dejar a la vista sus dos termopares, el interruptor temporizado y diez terminales de resistencias. Para sustituir una resistencia deteriorada es preciso retirar los tornillos del bloque terminal correspondiente y extraer el elemento afectado por el interior del horno.

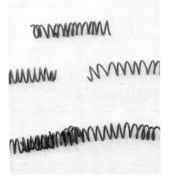

Empalme provisional de resistencias rotas: (arriba) la resistencia rota con la pieza que va a servir para la reparación; (abajo) la resistencia provisionalmente arreglada. Nota: este procedimiento suele llevarse a cabo sin necesidad de extraer el elemento afectado.

ción vaya seguido de tres cochuras neutras o en condiciones de oxidación como mínimo, éstas pueden deteriorarse antes de lo previsto.

Deterioro del revestimiento de ladrillo

Las zonas del revestimiento más expuestas a sufrir roturas son la puerta y las partes de las paredes más próximas a ella, pero las piezas rotas pueden repararse con un cemento especial que venden los mismos fabricantes de hornos, o bien con un cemento refractario comercial. Si los desperfectos son tan importantes que provocan la pérdida de calor durante la cocción, es preciso enviar la puerta al fabricante para que la reconstruya, aunque esta solución sólo se hace necesaria normalmente al cabo de mucho tiempo.

Recambio de resistencias

La avería de una o más resistencias se manifiesta en un bajo rendimiento del horno e, inspeccionando su interior, en la zona donde se ha producido se encuentra chamuscada. La reparación es bastante sencilla: después de comprobar que el horno está desconectado de la corriente deben descubrirse y desconectarse los extremos de la resistencia (que normalmente se hallan bajo una tapa de metal, situada en la parte posterior del horno, a un lado o en la puerta según la resistencia de que se trate), para poder desmontarlas por el interior del horno. Con ayuda de una lima pequeña se limpia el metal chamuscado que pueda quedar adherido al ladrillo. La pieza de recambio deberá ser la indicada, según las instrucciones del fabricante, para la zona concreta del horno en que se ha producido la avería. Se mide la longitud de la resistencia estropeada y

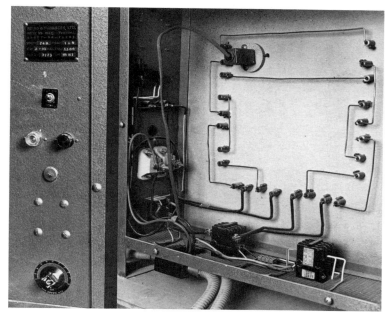

Vista posterior de un horno más grande en la que se aprecian dos contadores en la base y un termopar arriba. Las resistencias están conectadas formando un circuito más complejo y para su sustitución en caso de rotura es necesario aflojar los tornillos situados en los terminales de cobre y extraerlas por el interior del horno. A la izquierda de la fotografía puede observarse una vista del panel lateral de controles. Estos son, de arriba a abajo: conmutador de apagado y temperatura mantenida, piloto de encendido, piloto de funcionamiento de las resistencias, interruptor temporizado.

se estira la de repuesto (que normalmente viene estrechamente enrollada en espiral) hasta que alcance la misma medida. Las vueltas de alambre de los extremos deben hacerse pasar desde el interior del horno hasta los terminales, a través del ladrillo. Una vez efectuadas las conexiones se corta el alambre sobrante y se encaja la resistencia en el surco correspondiente, teniendo especial cuidado de que quede bien tensa en las esquinas para evitar que el alambre se afloje y se desprenda en el transcurso de la cocción. Cuando se haya colocado en su lugar la tapa de los terminales debe encenderse el horno durante algunos minutos para comprobar si la nueva resistencia se calienta debidamente; en caso de que no lo haga, o bien han quedado mal efectuadas las conexiones o es preciso sustituir alguna otra resistencia.

Con el tiempo y el uso todas las resistencias se adelgazan y se vuelven quebradizas, y cuanto más acentuado es este adelgazamiento, más tarda el horno en alcanzar la temperatura máxima. Asímismo, la duración de las resistencias se acorta cuando de forma habitual se somete el aparato a temperaturas superiores a las que recomienda el fabricante. Es conveniente sustituir todos los elementos cada dos años, pues cuando se coloca uno nuevo estando los demás muy gastados, éstos quedan sometidos a un aumento de tensión que suele provocar su avería en muy poco tiempo.

Para hacer una reparación de emergencia en muy poco tiempo cabe la posibilidad de empalmar los dos extremos de una resistencia rota con un trozo de resistencia encajando las vueltas de alambre de modo que como mínimo hagan contacto cuatro vueltas de la pieza nueva con otras tantas de cada extremo (así pues esta pieza debe cortarse a la longitud de la rotura más ocho vueltas adicionales). Esta reparación resulta muy provisional (a veces no resuelve siquiera el problema de terminar la cocción

35

interrumpida) y el que no funcione a los primeros intentos debe achacarse a que las vueltas superpuestas no hacen la debida conexión.

Las resistencias pueden ser de alambre Kanthal o Kanthal A 1. Los hornos provistos de alambre Kanthal no deben encenderse a temperaturas superiores a 1.150°, y los equipados con Kanthal A 1, a más de 1.300°. También se utilizan elementos de carburo de silicio en los aparatos destinados a efectuar cocciones de reducción regulares y frecuentes, pero estos elementos tienen un elevado precio.

Es posible sustituir unos elementos por otros siempre que la sustitución se haga extensiva al conjunto de las resistencias.

Regulación de la corriente

La regulación de la energía eléctrica se efectúa mediante un interruptor temporizado o un conmutador de tres vías. El primero regula el tiempo de circulación de la corriente y está dotado de un cuadrante calibrado de 0 a 100. Cuando se selecciona por ejemplo el punto 50 la corriente circula a plena intensidad durante el cincuenta por ciento del tiempo, y pueden escucharse los "clics" de conexión y desconexión producidos por el interruptor de mercurio. Cuando el mando se coloca en la posición "100" el horno permanece encendido durante todo el tiempo. Los hornos con uno o más conmutadores de tres vías llevan las resistencias instaladas de forma que pueden hacerse funcionar en las siguientes modalidades: paso de corriente "en serie" por todos los elementos (posición "bajo"), paso de corriente "en paralelo" por determinados elementos (posición "medio") o paso de corriente por todos los elementos "en paralelo" (posición "fuerte"). En un sistema en serie, la corriente transcurre a través de un elemento largo que no llega a alcanzar una temperatura demasiado elevada (unos 900° como máximo), mientras que en paralelo, la corriente pasa a través de cada elemento por separado, calentándolos mucho más (hasta 1.350°).

Aunque el horno esté dotado de algun sistema de medición o de control de la temperatura, si no dispone de programador, los interruptores temporalizados o los conmutadores de tres vías resultan esenciales.

HORNO DE GAS

Los hornos alimentados con gas son muy populares, y más lo serían aún si no fuera por su costo inicial. Por lo demás, el mantenimiento es muy barato, las reparaciones escasas y permiten la obtención de distintas condiciones atmosféricas en el interior de la cámara a diversas temperaturas. Casi todos los hornos de gas alcanzan los 1.400° y pueden resistir condiciones de reducción, aunque éstas se produzcan en todas las cocciones.

Panel de control de un horno con dos conmutadores de tres vías, un conmutador independiente para la base de la cámara, tres pilotos (uno por conmutador) y un amperímetro que mide la cantidad de corriente que atraviesa las resistencias.

Un horno de gas de tiro inferior con hogar móvil. Los gases de la combustión ascienden por las placas de la cámara, como la que se ve a la derecha de la fotografía, y van a desembocar a las salidas situadas en el suelo. La vagoneta aparece ligeramente desplazada hacia afuera para que se puedan apreciar los dos orificios situados en la parte posterior del horno por los que los gases de la combustión salen hacia la chimenea.

Un horno de tiro inferior: (izquierda), sección frontal que muestra el flujo de los gases; (derecha) sección lateral que muestra el flujo de los gases.

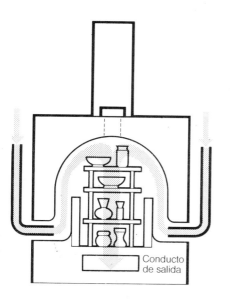

Conducto de salida

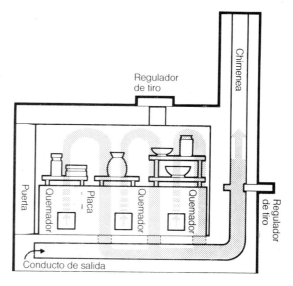

Chimenea

Regulador de tiro

Puerta

Quemador

Placa

Quemador

Quemador

Regulador de tiro

Conducto de salida

Podemos describirlos explicando que se trata de estructuras de ladrillo generalmente una cámara de ladrillo aislante revestida por el exterior con paredes de acero, aunque en los construidos *in situ* sólo suelen requerir una estructura metálica, con tubos que conducen al exterior los gases quemados. Las superficies que rodean a los quemadores suelen ser de ladrillo refractario con objeto de que soporten el contacto directo con las llamas. Los gases calientes circulan entre los objetos, saliendo por un conducto en el que la cantidad de gases expulsados se controla mediante un regulador de tiro.

La mayor parte de los hornos de gas actuales son de "tiro inferior", es decir, están construidos de modo que las llamas penetran en la cámara por un lado, circulan a través de las piezas por conductos situados en la base de la cámara para ser expulsados por la chimenea, que normalmente se encuentra en la parte posterior del horno. En los hornos de "tiro superior", las llamas pasan por debajo del suelo de la cámara y ascienden para salir por la parte superior hacia la chimenea.

Los hornos de "tiro inferior" aprovechan mejor el combustible, pero los de "tiro superior" tienen la ventaja de ser de construcción más sencilla. Los hornos de gas de pequeñas dimensiones pueden ser de este último tipo, mientras que los de mayores dimensiones (a partir de 0,3 metros cúbicos) normalmente son de tiro inferior. Los hornos cuyo volumen excede de un metro cúbico suelen estar dotados de un ventilador que airea el gas facilitando consiguientemente su combustión y aumentando su rendimiento calorífico. Deben seguirse las instrucciones del fabricante en cuanto a la longitud de la chimenea, a fin de que se establezca el tiro necesario para extraer los gases de la cámara, lo cual es de especial importancia en los hornos de tiro natural, desprovistos de extractor.

Disposición de los quemadores en un horno de gas. De arriba a abajo, el gas fluye por la tubería en dirección descendente, atraviesa la llave de paso y el venturi donde se mezcla con aire, y sigue descendiendo por la tubería, siendo introducido en el horno, donde se inflama con un encendedor que se introduce a través de un orificio destinado a este fin. El respiradero de aire suplementario se controla abriendo una tapa situada debajo del quemador.

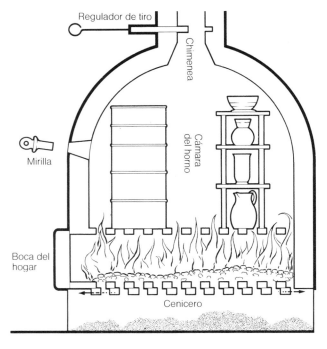

Regulador de tiro

Chimenea

Cámara del horno

Mirilla

Boca del hogar

Cenicero

Horno de combustible sólido de tiro superior.

La atmósfera del horno

El aire, mezclado con el gas, entra en el horno a través de tubos venturi, existiendo además unos respiraderos para el abastecimiento de aire suplementario, situados cerca de la entrada principal de aire y gas. Estando del todo abiertos el regulador de tiro y los respiraderos, en la cámara se produce una combustión completa del gas y, por consiguiente, una atmósfera de oxidación, es decir, una atmósfera en la cual los minerales presentes en los cuerpos y los barnices tienden a combinarse formando óxidos. Por el contrario, cuando los respiraderos de aire suplementario están tapados y se cierra parcialmente el regulador de tiro, los gases no pueden quemarse totalmente y requieren una mayor cantidad de oxígeno, que obtienen de los minerales presentes en la arcilla. La atmósfera de este tipo de cocción se denomina "de reducción", y produce una desoxigenación de los minerales contenidos en los cuerpos de arcilla.

Control del combustible

El flujo del gas se regula mediante una válvula acoplada a la tubería que conduce el combustible desde la fuente de aprovisionamiento hasta el horno. El instalador se encarga de graduar esta válvula de manera que el flujo de gas pueda apreciarse claramente en cualquier condición. Otra posibilidad consiste en instalar un manómetro de agua en la tubería que conduce de la válvula al horno. Este consiste en un tubo de vidrio con agua provisto de una escala graduada que permite medir con precisión el flujo de gas, ya que cuando su presión se aumenta abriendo la válvula el agua asciende en el tubo de cristal hasta un punto de la escala que indica el flujo de gas en dicho momento. El paso del gas a cada quemador se regula mediante una espita situada por encima del tubo Venturi.

HORNOS DE PETROLEO Y DE COMBUSTIBLES SOLIDOS

Los hornos de petróleo son de construcción similar a la de los de gas, aunque requieren distinto tipo de quemadores; éstos se dividen en quemadores de "petróleo condensado" y quemadores de aire comprimido.

Los de carbón vegetal, carbón mineral y leña no utilizan quemadores sino un hogar situado detrás o al lado de la cámara. El calor es transportado hasta ésta a través de tubos horizontales. En la instalación se debe prever la retirada de las cenizas producidas por la combustión, bien sea colocando una parrilla para depositar el combustible sobre ella de modo que éstas se recojan en un cenicero, bien rastrillando periódicamente el fuego para retirar las cenizas y empujar el combustible encendido hacia la cámara, a fin de dejar espacio para añadir más carbón o leña.

En los hornos de grandes dimensiones y en algunos modelos destinados a procedimientos especiales el hogar está situado sobre una plataforma que puede desplazarse sobre carriles o ruedas para facilitar la carga.

Manómetro de agua para medir la presión del gas que llega a los quemadores. Detrás de él se aprecia la válvula de control y el regulador automático que asegura una presión uniforme del flujo de gas desde la fuente principal de suministro.

Existen también hornos en los que las paredes y el techo del hogar pueden levantarse mecánicamente para facilitar el acceso a la zona de carga. Este tipo de horno no es frecuente en talleres pequeños.

En los hornos continuos con forma de túnel, que sólo se instalan en fábricas, los objetos circulan por el interior de la cámara en vagonetas refractarias pasando por diferentes secciones cuya temperatura va aumentando progresivamente hacia el centro del túnel y disminuyendo hacia el final. Se llaman continuos porque, por lo general, se mantienen encendidos durante meses sin interrupción.

Casi todos los tipos citados admiten cualquier combustible, aunque los de tabiques móviles suelen ser eléctricos, y los continuos, de gas o de petróleo.

NORMAS DE SEGURIDAD

Antes de adquirir un horno de gas es preciso solicitar la ayuda de un técnico para que inspeccione el lugar de instalación y determine si el abastecimiento de combustible es suficiente para satisfacer las condiciones establecidas por el fabricante para el modelo en cuestión. Siempre que se cierre la llave principal de paso de gas cuando el horno no esté en funcionamiento y éste haya sido instalado por un profesional competente, no tienen porqué producirse fugas, ni, por consiguiente, explosiones.

Los hornos de petróleo requieren la instalación de un tanque de dimensiones suficientes para almacenar al menos la cantidad de combustible necesaria para efectuar una cochura completa (más un remanente para emergencias). Como es lógico, también se debe prever la construcción de un lugar adecuado para el almacenamiento de carbón o leña en el caso de utilizar un horno de combustible sólido.

Todos los hornos alimentados con combustibles requieren una chimenea para expulsar los gases a la atmósfera, y la construcción de la misma ha de ajustarse a las disposiciones de las autoridades locales. Los hornos eléctricos no requieren chimenea, pero sí un respiradero superior cuya distancia del techo de la nave o habitación no sea inferior a cincuenta centímetros. Teniendo en cuenta que los hornos suelen ser bastante pesados, es preciso considerar también en su instalación la resistencia del suelo del lugar destinado a albergarlo.

5. Medición de la temperatura y control de la cocción

Una de las principales dificultades que el ceramista encuentra en su trabajo es la imposibilidad de prever con exactitud los cambios que van a producirse en las piezas durante su permanencia en el horno. Antes de la invención de los instrumentos que en la actualidad se emplean, los ceramistas solían colocar muestras de prueba en el horno de modo tal que pudieran ser extraídas en diferentes fases de la cocción, y de este modo iban adquiriendo experiencia sobre las características de cada horno y el suministro de combustible necesario para obtener las calidades deseadas en las piezas. Con el tiempo, el encargado de las cochuras llegaba a conocer las condiciones del interior del horno con sólo ver por la mirilla el color de la cámara y la longitud y la tonalidad de las llamas. En la actualidad siguen utilizándose muestras de prueba, en especial cuando se buscan determinados efectos conseguidos en condiciones de reducción, pues todavía no se ha inventado nada que permita determinar con exactitud la cantidad de oxígeno presente en la atmósfera del horno. Las muestras de prueba sólo tienen algunas desventajas, y es que no proporcionan indicación alguna sobre el ritmo de incremento de la temperatura y que a veces pueden caerse al intentar retirarlas produciendo daños en otras piezas.

CONOS PIROMÉTRICOS

Los conos pirométricos se utilizan para medir el suministro de calor, pues se comportan reblandeciéndose y doblándose a temperaturas determinadas por su composición específica. Se identifican por la numeración que llevan impresa a un lado (en la página 176 se encuentra una lista de números de conos con sus correspondientes temperaturas de reblandecimiento). La colocación en el horno de tres de estos conos, en una posición tal que puedan ser vistos por una mirilla, y seleccionados de modo que se doblen a intervalos de 30°, permite prever con bastante exactitud el momento en que hay que dar por terminada la cocción. Su empleo es muy frecuente debido a que miden el "calentamiento" a que está siendo sometida la arcilla, más que la temperatura del horno en sí; de hecho es posible tanto sobrepasar el punto de cocción por calentar el horno demasiado despacio hasta alcanzar una temperatura predeterminada (ya que en tal caso los ingredientes de la arcilla y el barniz habrán

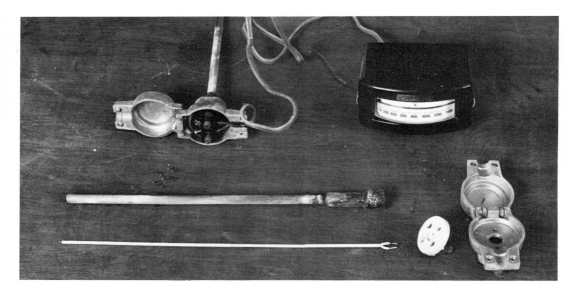

Conos pirométricos (arriba), un pirómetro y un termopar. En la parte inferior de la fotografía se ven los elementos que componen un termopar: la cubierta exterior de porcelana que se introduce en el interior del horno con las dos tiras de metal, el bloque de conexión y la caja metálica.

estado sometidos a un tiempo de reacción excesivamente largo), como no alcanzarlo, si dicha temperatura ha sido obtenida con demasiada rapidez (no dejando tiempo suficiente para que se produzcan las reacciones). Así pues, los conos pirométricos permiten determinar con precisión entre tiempo y temperatura que determinen el "calentamiento".

PIRÓMETROS

Los pirómetros sirven para medir la temperatura del interior de los hornos. Constan de dos partes: un galvanómetro (instrumento que mide corrientes eléctricas de muy baja intensidad) y un termopar (que consiste en dos piezas de metales distintos unidas por un extremo y protegidas por una cubierta de porcelana). Este último está conectado al galvanómetro por medio de un cable compensador.

El termopar se instala en la pared o en la parte superior del horno de modo que su extremo quede introducido entre siete y diez centímetros en el interior de la cámara. Al calentarse esta parte se genera una pequeña carga eléctrica en cada metal, y otra entre los extremos caliente y frío de uno de los conductores. Midiendo ambos tipos de carga inducida se comprueba que la corriente varía uniformemente a medida que asciende la temperatura, y la lectura correspondiente se efectúa en la escala calibrada del pirómetro. Para obtener resultados precisos han de observarse las siguientes reglas:

1. No alterar la longitud del cable compensador, ya que la escala del pirómetro está calibrada de modo que quede compensada cualquier resistencia eléctrica que se produzca en el mismo.
2. Graduar el pirómetro a la temperatura ambiente (utilizando el ajustador del aparato); nunca a cero grados.

3. Evitar que pueda calentarse accidentalmente durante el uso el extremo frío del termopar.
4. La cubierta de porcelana y los alambres que lleva en su interior son frágiles y costosos, por lo que estas piezas deben ser manipuladas con sumo cuidado.
5. El pirómetro es delicado y no debe desconectarse sin un derivador (o un fusible) que conecte ambos terminales.
6. Como el sistema se basa en la corriente eléctrica, es preciso cerciorarse de efectuar debidamente las conexiones a los diferentes terminales, es decir, negativo a negativo y positivo a positivo.
7. No debe confundirse el termopar con un fusible térmico (si la instalación lo lleva), ni someterlo por tanto a la corriente eléctrica de la red.

Pirómetro controlador visual. El mando de la izquierda determina la posición de la aguja de control (la situada debajo de la escala). El piloto situado a la izquierda de la escala indica el paso de la corriente principal al aparato y el de la derecha el paso de la corriente a las resistencias.

Si fallara la instalación o funcionara inadecuadamente será necesario devolver el pirómetro al fabricante, o bien sustituir los alambres del termopar en caso de que éstos estuvieran rotos. Normalmente estos alambres son recuperables, así que cabe pedir al proveedor que su valor sea descontado del importe de la sustitución. Las cubiertas de porcelana no son tan caras, pero se rompen fácilmente si no se manipulan con cuidado.

Aunque este sistema de pirómetro y termopar suele resultar costoso, es el mejor que puede emplearse para medir con precisión las oscilaciones térmicas dentro del horno, y además dura muchos años si se utiliza con las debidas precauciones.

SISTEMAS DE CONTROL PARA HORNOS ELÉCTRICOS

Existen varios y su costo varía según el grado de sofisticación del instrumento. Están basados en la instalación de un termopar dentro del horno y un pirómetro. La energía administrada pasa a través de un conmutador (que controla la entrada de corriente) accionado por el pirómetro mediante contactores.

Pirómetro controlador

Este instrumento permite medir la temperatura del horno y tiene además una segunda aguja en el cuadrante que puede graduarse a la temperatura deseada. Cuando la aguja que indica la temperatura coincide con la de la temperatura establecida, el horno se desconecta, o se mantiene a dicha temperatura según la posición del conmutador.

Sistemas de control sin indicador

Son mecanismos más sencillos y económicos que los pirómetros controladores, pero no permiten la medición de las temperaturas del

ETHER `Mini`   Type 19-90

Controlador sin indicador de temperaturas. El disco se gira hasta hacer coincidir el indicador rojo con la raya correspondiente a la temperatura deseada. El piloto de arriba indica el paso de la corriente principal al controlador, y el de la derecha se mantiene encendido mientras el horno no ha alcanzado la temperatura elegida y vuelve a encenderse cuando se produce un descenso por debajo de esta temperatura.

horno durante la cocción; simplemente interrumpen el paso de corriente o mantienen el horno a una temperatura constante.

En los dos sistemas de control precedentes el ritmo del incremento de la temperatura del horno ha de controlarse mediante un interruptor temporizado u otro instrumento similar.

Programadores

El programador es el único instrumento capaz de controlar conjuntamente el ritmo del incremento de la temperatura, la temperatura final y la duración del periodo de temperatura mantenida. Consiste en un termopar situado en el interior del horno, conectado a un pirómetro controlador, provisto a su vez de una aguja controladora que se desplaza por el cuadrante del pirómetro según el ritmo marcado por una leva accionada mecánicamente. Si el pirómetro indica que la temperatura del horno sobrepasa la que señala la aguja controladora, el horno se desconecta hasta que la aguja alcanza una temperatura más elevada. La forma de la leva determina el ritmo de calentamiento, la temperatura máxima y la duración del periodo de temperatura mantenida (en su caso).

Interruptores horarios

Resultan prácticos porque permiten iniciar la cocción en ausencia del operario (todos los sistemas hasta ahora mencionados deben ser conectados manualmente). Si se conoce con exactitud el tiempo que precisa el horno para alcanzar una temperatura determinada, el interruptor horario puede servir también para efectuar la desconexión.

Fusibles térmicos

Los hornos eléctricos pueden estar dotados de fusibles térmicos, cuya única finalidad es protegerlos en el caso de que se sobrepase accidentalmente la temperatura máxima aconsejada. Un fusible térmico es similar a un termopar, pero conectado a la red normal de suministro eléctrico. Si el horno se calienta por encima de la temperatura máxima aconsejada, el alambre del fusible se funde, interrumpiendo así el paso de la corriente e impidiendo el deterioro de las resistencias.

Conmutadores

Si el horno está situado en un centro educativo, merece la pena equiparlo con algún mecanismo interruptor (que sin duda representará un desembolso bien modesto), como un simple conmutador, a través del cual pasa la corriente, que es mantenido en la posición de "encendido" mediante un cono pirométrico, el correspondiente a la temperatura deseada, introducido en parte dentro de la cámara. Cuando el cono se

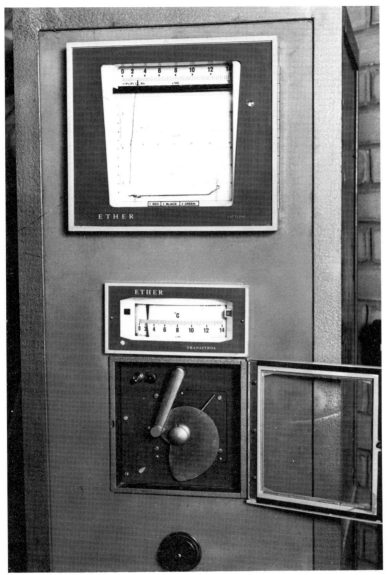

Cuadrante que registra el progreso de la cocción y programador (abajo). Los pilotos situados a los lados de la escala corresponden al encendido (izquierda) y al paso de la corriente a las resistencias (derecha). El indicador situado debajo de la escala es accionado por la leva que se ve en el panel inferior. El conmutador situado en el ángulo superior izquierdo de dicho panel sirve para conectar el motor de la leva. Mientras está desconectado, el horno se mantiene indefinidamente a la temperatura seleccionada. Detrás de la leva se puede situar un brazo móvil que gira al mismo tiempo que ésta, desconectando el horno cuando llega al marcador situado en el ángulo inferior izquierdo.

reblandece, el conmutador vuelve automáticamente a la posición de "apagado" cortando el suministro eléctrico del horno.

SISTEMAS DE CONTROL PARA HORNOS DE GAS Y PETRÓLEO

Los sistemas de control para hornos de gas y de petróleo resultan muy caros porque han de ir equipados con válvulas de silenoide en lugar de contadores eléctricos para regular y cortar el flujo del combustible en la medida deseada. Difieren según el tipo del horno y el lugar donde éste está colocado. En cuanto a la instalación de estos sistemas en hornos de

Instalación de varios hornos y aparatos de control. De éstos, el de la izquierda corresponde al horno más grande y el de la derecha a los dos pequeños. Las cajas de conmutadores que se ven al fondo permiten conectar ambos hornos por turnos.

combustible sólido no merece la pena hacerla debido a su complejidad y su elevado precio.

También se puede calcular con aproximación la temperatura del interior de un horno con sólo observar su coloración (véase página 177).

En la industria los sistemas de control se utilizan con muchísima frecuencia para lograr unas condiciones constantes para todos los procesos de cocción; en los centros educativos ahorran trabajo y tiempo a los profesores en bien de una mayor dedicación a la enseñanza propiamente dicha y permiten mantener los hornos encendidos sin supervisión durante las noches y los fines de semana, lo que supone la posibilidad de incrementar semanalmente el número de cochuras. También sirven para evitar accidentes debidos a circunstancias imprevisibles en ausencia de un supervisor, y para el ceramista particular incrementan las prestaciones del costoso equipo y, en el caso de los hornos eléctricos, tienden a prolongar la duración de las resistencias ya que regularizan los programas de cocción.

En la actualidad, existe una amplia gama de controladores de muy diversos precios que hace posible el uso de estos instrumentos tan valiosos en prácticamente cualquier tipo de taller.

En la mayoría de los talleres, los hornos se equipan con más de un sistema de medición de la temperatura: por ejemplo, un pirómetro y un termopar para medir el incremento de la temperatura y un juego de conos pirométricos para medir el calentamiento; así, aunque falle uno de ellos, no hay necesidad de proseguir la cocción "a la buena de Dios", con el riesgo que esto implicaría de echar a perder el tiempo y el trabajo invertidos en la confección de las piezas.

6. Herramientas para el modelado de la arcilla

La variedad de las herramientas que se utilizan para dar forma, modelar y acabar piezas cerámicas es muy amplia, pero el presente capítulo se limita a describir brevemente las de uso más común. Algunas pueden ser confeccionadas por el propio ceramista sin gran dificultad, pero otras, que requieren técnicas o equipos especiales, han de ser adquiridas en el comercio. En la actualidad es posible encontrar en el mercado cualquier herramienta que se necesite, pero en general, la opción de la compra, aparte de suponer un desembolso, tiene la desventaja de propiciar la obtención de unos efectos y unos resultados poco originales. El aprendiz de ceramista suele llegar enseguida a la conclusión de que el mejor modo de conseguir los utensilios que más le satisfacen consiste en hacérselos él mismo.

Las herramientas de modelado se clasifican en tres grupos: (1) las que pueden considerarse como una prolongación o un sustituto más perfeccionado de los dedos; (2) las que sirven para cortar; y (3) las que producen texturas y formas mediante presión.

HERRAMIENTAS DE MODELADO

Pueden ser de madera, metal o plástico. *Las herramientas de madera* deben estar hechas con maderas duras y finas, que no se astillen o partan con el uso. Su forma depende de la finalidad a que vayan destinadas. Las más sencillas de hacer y las más económicas en el comercio son las planas con distintas formas en ambos extremos y bordes perfectamente limados. En cambio, las herramientas dotadas de curvatura tardan más en hacerse y resultan más caras. La caña de bambú con un extremo apuntado o en forma de cuña es muy útil para hacer incisiones en arcillas plásticas. Las paletas grandes de madera, similares en la forma a las herramientas de modelado, sirven en realidad para preparar la masa de arcilla y obtener mediante presión la forma deseada. Con frecuencia se usan para perfeccionar la forma de las piezas confeccionadas a mano, siendo posible envolverlas en telas para obtener superficies texturadas y evitar que la arcilla se adhiera a la herramienta.

Las herramientas de plástico pueden confeccionarse de forma muy similar a las de madera, si bien tienen la particularidad de poder modelarse sometiendo el material a la acción del calor y doblándolo a mano o

(Página opuesta) Una selección de herramientas de modelado y torneado: (izquierda, de arriba a abajo), herramientas de acero para modelado, una aguja, una cucharilla y un cortador, tres herramientas de torneado (formas de hoja, triangular y redondeada), herramientas de modelado de madera y plástico; (derecha) dos raspadores de caucho, dos raspadores de acero, dos hojas de sierra y dos cuchillos.

sobre alguna superficie de una forma determinada. Los materiales termoplásticos, como el plexiglás, son los más apropiados para esta finalidad porque resultan maleables en caliente y duros cuando están fríos. Las herramientas de plástico son resistentes, pueden ser sumamente lisas y son fáciles de confeccionar.

Las herramientas de metal son caras y su confección muy difícil, pero resultan ideales para modelar la arcilla dura y el yeso. Las de acero inoxidable tienen como contrapartida de su elevado precio, las ventajas de que no manchan de óxido la arcilla ni la escayola, ni se corroen, factor este muy importante, ya que la arcilla es un material muy corrosivo.

Casi todas las herramientas de modelado tienen ambos extremos diferentes, pudiendo éstos adoptar la forma de espátula para alisar y de sierra para obtener texturas, o estar dotados de una punta roma para gravar surcos o afilada para practicar incisiones en la arcilla.

HERRAMIENTAS DE CORTE

El cortador de alambre es la herramienta de este tipo más corriente en el taller del ceramista. Puede ser de cobre, de bronce, de acero inoxidable o de nylon. aunque los metálicos cortan con más precisión que los de este último material. El alambre puede ser simple o trenzado. Siempre conviene tener alguno de repuesto porque con el tiempo todos acaban estropeándose.

En *el cortador de arco,* el alambre va tensado entre los dos extremos de un soporte metálico en forma de U, cuyos lados paralelos están dotados de unas muescas, situados a intervalos regulares, que impiden que el alambre resbale y se salga. Asimismo estas muescas sirven para colocar el alambre a diferentes distancias de los extremos del soporte. La herramienta permite cortar horizontalmente un bloque de arcilla, incluso en planchas de grosor uniforme, lo que se consigue apoyando los extremos de la U sobre la superficie de trabajo y presionando el alambre contra el bloque paralelamente a ésta, a la vez que se mantiene el arco en posición vertical. También se pueden hacer con ella superficies muy interesantes moviéndola rítmicamente de arriba abajo o en sentido circular mientras se corta la arcilla.

Los cortadores de alambre que no van montados en arcos deben llevar ambos extremos bien sujetos a sendos cazonetes, con objeto de poder ejercer la fuerza necesaria para cortar, que en ocasiones es bastante considerable, sin lastimarse los dedos o las manos. Los alambres cortadores de este tipo se utilizan para cortar planchas, bloques de arcilla grandes, que no admiten el uso de un cortador de arco.

Las flautas son tubos de metal o madera cortados longitudinalmente por la mitad, con una ranura en la parte redondeada, muy semejante a la de entrada de aire que lleva el instrumento musical del mismo nombre. Se utilizan de manera similar a las gubias para madera, es decir, desplazándolas sobre la superficie de la arcilla para obtener acanaladuras.

Los cuchillos son también herramientas muy comunes. Para trabajos de acabados, como el alisado por ejemplo, se emplean los estrechos que van adelgazándose gradualmente hacia la punta, y para mezclar los colores, los anchos y planos parecidos a las espátulas que utilizan los

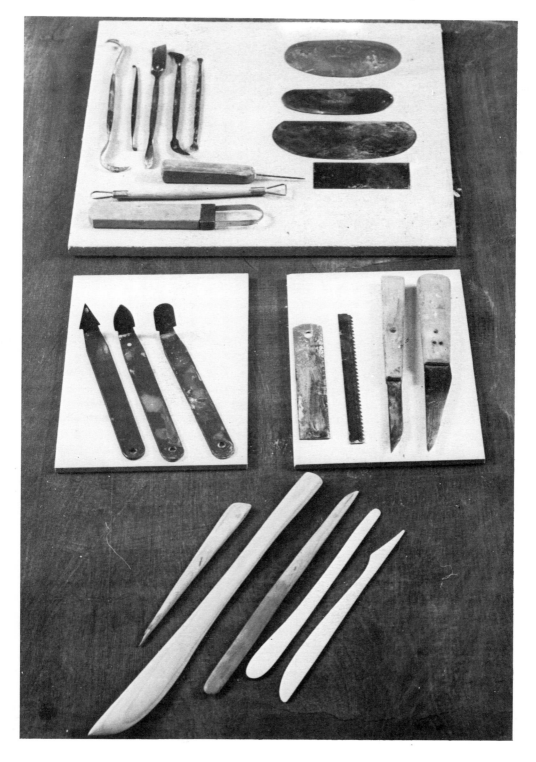

pintores. En cualquier caso, los cuchillos deben tener la hoja flexible y perfectamente sujeta al mango. Cabe utilizar cualquiera de los que se emplean en la cocina siempre que se le pueda desbastar la hoja hasta dejarla de la forma que convenga.

Los punzones son tubos de metal de unos doce centímetros de longitud con el extremo cortado en punta. Es conveniente tener una selección de estos tubos para poder practicar orificios de diferentes diámetros.

Las agujas resultan muy útiles para cortar la arcilla, especialmente durante el modelado en el torno. Deben ir sujetas a mangos de madera, no sólo para facilitar su manejo, sino también para no extraviarlas cuando están cubiertas de arcilla.

Los cortadores de pasta utilizados en repostería, que pueden adquirirse en tiendas de artículos para cocina, sirven también para cortar formas tanto en planchas de arcilla como en piezas huecas. Los de metal son los que hacen los cortes más perfectos porque tienen los bordes muy afilados. Los hay de muy diversos tamaños.

En tiendas de materiales para el ceramista se venden cortadores de este tipo más especializados, pues los hay provistos de una tapa posterior con muelle que permite desprender la forma cortada sin deformarla.

Las herramientas de torneado pueden también incluirse en este apartado, aunque en realidad, más que cortar, lo que se hace con ellas es "tallar", eliminando pequeñas cantidades de material. Las hay de alambre y de fleje de acero. Las mejores cucharillas de alambre suelen ser las que se compran, pero también pueden confeccionarse. Las de fleje se confeccionan con tiras planas de acero de unos sesenta milímetros de anchura, doblando los extremos de éstas en ángulo recto, debastándolas hasta darles la forma deseada y afilando los bordes en bisel.

Los cortadores de alambre de mayor tamaño pueden utilizarse para cortar la arcilla en forma de rollos.

También se pueden confeccionar herramientas de torneado con un trozo de caña de bambú de unos veinte centímetros de longitud, con uno de sus extremos cortado longitudinalmente por la mitad y doblado en forma de círculo. El bambú tiene bordes de filo muy cortante.

HERRAMIENTAS PARA LA DECORACIÓN Y EL ACABADO

Los perfiles se utilizan para dar a la arcilla una forma precisa mientras se modela y se acaba en el torno y para hacer texturas y dibujos presionándolos sobre la arcilla en planchas. Suelen ser de madera o metal, y en general los hace el propio ceramista, aunque también se venden algunos perfiles sencillos de bambú para labores de modelado con torno.

Es importante que estas herramientas tengan un diseño tal que permita agarrarlas perfectamente con las manos, en especial si carecen de mango. Asimismo el borde debe estar bien biselado para no desgranar la arcilla.

Los moldes pueden ser de yeso o de arcilla previamente modelada y bizcochada (véase página 115). Con ellos se pueden obtener formas de arcilla para ser utilizadas como relieves aplicados sobre otras piezas.

Los ceramistas utilizan también *sellos* de yeso de París, madera, metal

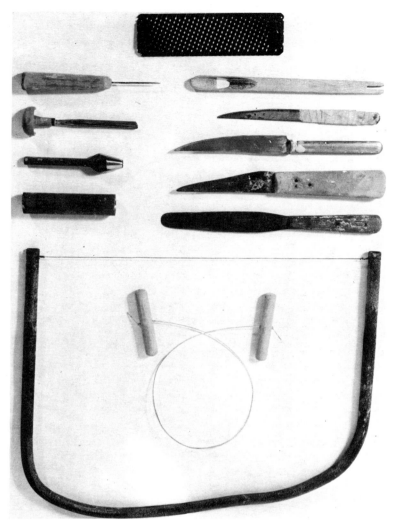

Cortadores de arcilla; de arriba a abajo, un cortador de arco y un alambre cortador con cazonetes; izquierda, una espátula, dos cuchillos de uso general, un cuchillo de alisado hecho con una hoja de sierra y una flauta; derecha, tres punzones y una aguja; abajo, en el centro, una lima perforada.

o arcilla bizcochada para grabar anagramas o iniciales en la superficie de las piezas.

Los artículos siguientes no son en realidad herramientas sino elementos accesorios. *Las esponjas,* por ejemplo, se utilizan en dos calidades: natural y sintética. Las naturales son caras, pero resultan insustituibles en el modelado con torno y en el modelado a presión y para enjabonar el yeso. Con las sintéticas, que son más baratas, puede limpiarse el barniz de las piezas bizcochadas, las mesas de trabajo y cualquier otra superficie abrasiva que pudiera desgarrar una esponja natural.

Las limas gruesas y *los cepillos* de diversos tipos son excelentes para lijar la arcilla con consistencia de cuero o seca. Es conveniente utilizar limas que tengan perforaciones por toda la superficie con objeto de que la arcilla se cuele a través de ellos en lugar de embotar la herramienta. También pueden emplearse limas para alisar asperezas en los bordes de las piezas biscochadas.

También se utilizan *rodillos* de distintos tamaños, como los de panadería, aunque en realidad no es necesario comprarlos porque pueden improvisarse perfectamente con cualquier barra redonda de madera de diámetro grueso, como las que se obtienen por ejemplo cortando mástiles y remos de embarcaciones que ya no sirvan. En cambio no suelen resultar apropiados los tubos metálicos, ya que por lo general no pesan lo suficiente y la arcilla tiende a adherirse a su superficie. Se pueden confeccionar rodillos texturados para decorar las planchas de arcilla con yeso de París, utilizando como molde un tubo de cartón. Una vez fraguado el yeso, se talla o se graba su superficie en la forma deseada.

Las guías sirven para determinar el grosor de las planchas de arcilla y suelen adquirirse en parejas de idéntica anchura. Generalmente son de madera. Resulta aconsejable taladrar unos orificios avellanados en cada una de ellas con objeto de poder asegurarlas con tornillos a la cara superior de la superficie de trabajo. De este modo, al colocar la arcilla entre las guías, el rodillo o el cortador de alambre pueden desplazarse perfectamente sobre las mismas para obtener planchas de grosor uniforme.

En alfarería y cerámica se utilizan *tableros* para muy diversas aplicaciones, desde aplanar la arcilla con el rodillo hasta servir para el transporte de las piezas hasta y desde el horno. Todos ellos deben ser lo suficientemente ligeros para que puedan ser transportados por una sola persona estando cargados al máximo de su capacidad. Los que se emplean para aplanar la arcilla pueden ser de yeso de Paris, pero los demás son, en la mayoría de los casos, de madera o contrachapado.

Separadores. La arcilla húmeda tiende a adherirse a todas las superficies a menos que se tomen las medidas necesarias para impedirlo, como son por ejemplo el aplicar pedernal o arena fina sobre las superficies planas y pedernal húmedo únicamente en las verticales o ásperas. Estos materiales deben emplearse con las debidas precauciones, ya que la inhalación tanto del pedernal como de la arena fina puede provocar silicosis u otros trastornos respiratorios. Para ello se deben evitar todos aquellos procedimientos (como el cribado, por ejemplo) que propicien la dispersión de las finísimas partículas en la atmósfera del estudio. Para impedir que la arcilla húmeda se adhiera a las superficies metálicas a veces da buenos resultados la aplicación de aceite de colza. En cualquier caso, el separador debe aplicarse cada vez que se vaya a utilizar una nueva masa de arcilla.

La *arpillera* u otro tejido similar no sólo sirve para impedir que la arcilla se adhiera a las superficies, sino también para trasladar las planchas ya confeccionadas desde el tablero hasta la mesa de trabajo (véase página 63) sin que se agrieten. Si se utilizan conjuntamente con guías de madera, el tejido deberá colocarse entre las guías y el tablero de modo que los tornillos puedan atravesarlo, con objeto de que no se desplace mientras se extiende o se corta la arcilla.

7. Procedimientos manuales para el modelado de la arcilla

Las piezas de arcilla modeladas a mano se caracterizan por presentar irregularidades en la forma, la superficie y la sección, como sucede en algunos ejemplos típicos tales como azulejos, ladrillos, piezas de alfarería y esculturas. En aquellas sociedades que han conocido un alto grado de desarrollo de esta artesanía, las piezas pueden llegar a presentar un grado de perfección similar al de los obtenidos por procedimientos mecánicos, como es el caso de los grandes recipientes del Oriente Medio o las vasijas africanas actuales. Son, en muchos aspectos, representativas de una economía de medios y de material, unida a una gran riqueza de formas que despierta la admiración tanto del profesional como del profano. Los procedimientos manuales de modelado son muy adecuados para el principiante, pues suponen la confrontación directa entre éste y el material y la oportunidad de lograr resultados originales.

Las arcillas destinadas a ser modeladas a mano deben incluir algún material grueso, como arena o chamota, por ejemplo, o bien poseer un grado medio de plasticidad. El tamaño de las partículas ha de ser lo suficientemente grueso como para que permita que el agua se evapore fácilmente durante el secado, pues hay que tener en cuenta que, como en la mayoría de los casos las piezas modeladas no tienen por todas partes la misma sección, a veces, allí donde ésta es mayor, la superficie se seca dejando en el interior bolsas de agua.

Cuando deban unirse dos piezas de arcilla es imprescindible que ambas posean unos grados similares de expansión térmica y humedad con objeto de que su índice de encogimiento sea el mismo para que la unión no se agriete. Asimismo, para reducir este riesgo siempre presente, tanto durante el secado como después en la cocción, resulta muy conveniente, a la vez que estético, el alisar la unión haciéndola tan imperceptible como sea posible.

La arcilla puede ser de cualquier color, tanto de entre los naturales que existen, como teñida artificialmente (véase página 29). La arcilla roja común, la de gres se utilizan con mucha frecuencia; en cambio, la porcelana auténtica y la porcelana de huesos no suelen emplearse para modelado manual, ya que es enormemente difícil conseguir la firmeza y la uniformidad necesarias para que el cuerpo resulte translúcido tras la cocción y, además, el tamaño de sus partículas es tan diminuto que se corren grandes riesgos de que las piezas se deformen durante el secado. Sin embargo, se pueden utilizar estas arcillas siempre que la pieza sea muy pequeña y se tomen extremadas precauciones.

(Página opuesta) Recipientes de arcilla modelados con los dedos en distintas fases de ejecución.

La arcilla húmeda en estado plástico puede modelarse con los dedos o con herramientas adecuadas, formarse a presión y grabarse o decorarse con ayuda de otros objetos. La decoración puede efectuarse sobre planchas de cualquier forma o sobre piezas ya modeladas, bien en forma de relieves aplicados, bien en forma de incisiones, según las inclinaciones del artesano. El capítulo 10 describe algunos métodos para los tratamientos de superficie. Como podrá observarse en la práctica, la respuesta de la arcilla a este tipo de tratamientos difiere notablemente según se encuentre húmeda, con consistencia de cuero o seca.

MODELADO CON LOS DEDOS

Para modelar pequeños cuencos o recipientes cabe la posibilidad de formar una bola con la arcilla y, mientras se sostiene ésta con la mano izquierda y se la hace girar, ir ahuecando el interior mediante presión aplicada con el pulgar y los demás dedos de la mano derecha. Al principio se obtiene de este modo una forma tosca, pero, a medida que va repitiéndose el procedimiento rítmicamente, y se va disminuyendo la presión aplicada con los dedos conforme van adelgazándose las paredes, se pueden obtener formas bastante delicadas.

ARROLLADO O MODELADO AL COLOMBÍN

Una vasija terminada obtenida por el método de arrollado y otra en las primeras fases de formación.

Materiales y herramientas: Tablero de madera, arpillera o pedernal, rodillo, cuchillo, arcilla, herramientas de modelado.

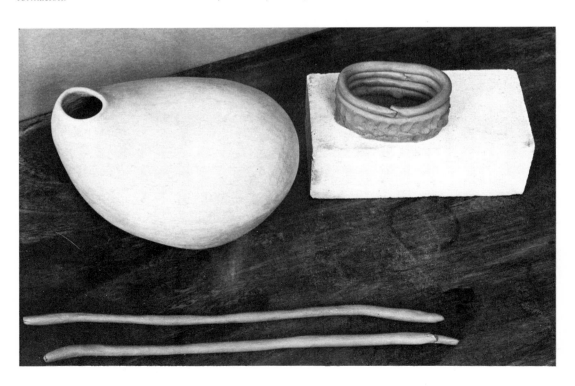

Formación de una pieza con rollos, alisados con ayuda de una plantilla.

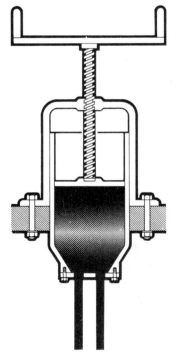

Extrusión de rollos de arcilla en una galletera.

Procedimientos: En primer lugar, hay que determinar el tamaño de la pieza que se va a realizar, puesto que de él depende el grosor de la base y las paredes. A *grosso modo* puede decirse que para un cuenco de unos cuarenta y cinco centímetros de altura, el grosor de la base debe ser como mínimo de un centímetro y medio y como máximo de dos centímetros y medio. Las paredes han de tener el mismo grosor que la base, aunque pueden ir adelgazándose gradualmente hacia la boca, ya que en esta parte el peso que tienen que soportar es menor.

Se extiende con el rodillo una bola de arcilla hasta darle el tamaño y el grosor adecuados para la base, habiéndola colocado previamente sobre un tablero cubierto con un trozo de arpillera o un poco de pedernal. Los rollos que servirán para formar el resto de la pieza pueden modelarse manualmente o mediante una galletera con el cilindro extrusor adecuado. Las paredes del recipiente se hacen superponiendo estos rollos, cuyo espesor debe ser aproximadamente una vez y media mayor que el previsto para las paredes terminadas, y su longitud con preferencia tal que evite hacer más de un empalme en cada vuelta. El modelado manual de rollos uniformes es más difícil de lo que quizá se suponga, aunque si se utiliza una superficie de madera, o de cualquier otro material forrado con tela, y se forman con un movimiento de vaivén presionando con las palmas de las manos, enseguida se adquiere la práctica suficiente para lograr buenos resultados. Siempre que se prepare con antelación más de un rollo es preciso cubrir con un paño húmedo los que no se vaya a utilizar en el momento.

Se coloca el primer rollo sobre la base, adaptándolo a su contorno y recortando el sobrante para que ambos extremos encajen con precisión. Se coloca de igual modo el segundo rollo encima del primero y así sucesivamente hasta tener dispuestos unos cuatro o cinco. Es importan-

Vasija con forma de calabaza de comienzos de siglo, procedente de Africa
oriental. Realizada con rollos de arcilla, decorados con incisiones y bruñidos con
grafito.

te que no coincidan en línea los empalmes de vueltas sucesivas, pues de lo contrario quedaría debilitada la estructura de la pieza. Procure por el contrario que cada uno vaya quedando distanciado un cuarto de vuelta de circunferencia con respecto al precedente, de manera que sólo coincidan dos en línea cada cuatro vueltas. Para unir un rollo con otro y el primero con la base se extiende un poco de arcilla de cada rollo sobre el situado inmediatamente debajo a lo largo de toda la juntura, procediendo en primer lugar por el exterior de la pieza y después por el interior. El acabado obtenido de este modo no carece de gracia, pero si desea obtener una textura más lisa se puede retocar la superficie de la pieza con una espátula cuando haya alcanzado consistencia de cuero, o bien lijarla una vez seca. En cambio, si se prefiere no alterar el efecto de los rollos, la unión deberá efectuarse sólo por el interior. Se siguen añadiendo más rollos por este procedimiento hasta completar la altura que se desee. Para obtener un recipiente que vaya ensanchándose gradualmente hacia la boca debe aumentarse progresivamente la longitud de los rollos, que se colocarán sobresaliendo cada uno de ellos ligeramente sobre el anterior.

Este sistema de modelado, permite la obtención de piezas de cualquier tamaño, siempre que se incremente adecuadamente el grosor de los rollos cuando la altura supere los treinta centímetros.

Cualquier objeto así formado puede después alisarse con una herramienta, pero únicamente una vez que la arcilla haya alcanzado consistencia de cuero. Para ello se emplean espátulas de madera, algunas de ellas de formas o texturas especiales con vistas a decorar la superficie resultante.

A veces, para obtener piezas de tamaños o formas poco comunes, es preciso hacer el modelado por etapas, bien sea confeccionando por

Tetera mejicana, con decoración incisa y pintada, sin barnizar.

separado varias piezas y uniéndolas después cuando alcancen consistencia de cuero, bien construyendo la sección inferior de la pieza y dejándola secar hasta que alcance consistencia de cuero, teniendo cuidado de mantener húmedo el último rollo cubriéndolo con un trapo mojado. En estos casos se hace necesario en ocasiones rellenar el interior de la pieza con papeles de periódico o sujetarlo exteriormente con un collar de arcilla con el fin de que no se deforme. El papel de periódico puede dejarse en el interior de la pieza pues se quema y desaparece durante la cocción. Una vez seca la sección inferior de la pieza y en condiciones de soportar el peso de las siguientes capas, se retira el paño mojado y se prosigue el proceso de arrollado hasta completar la forma, siempre que ésta no empiece a mostrar síntomas de derrumbamiento, en cuyo caso debe dejarse secar de nuevo, pero asegurándose siempre de que se mantenga húmedo el último rollo colocado para poder unir las sucesivas capas.

La pieza realizada de este modo puede retocarse o lijarse cuando alcance consistencia de cuero si se le quiere dar una superficie más uniforme o una forma más regular.

MODELADO CON PLANCHAS

Esta técnica es muy adecuada para formar piezas con ángulos y caras planas, como cajas por ejemplo. Ofrece muy pocas dificultades y permite la construcción de objetos de cualquier tamaño.

Las arcillas para modelado con planchas deben ser de grano relativamente grueso si las dimensiones de la pieza superan los quince centímetros en cualquier dirección. Para las piezas con más de cuarenta centíme-

Instalación para la elaboración de planchas y una plancha en la base final de formación.

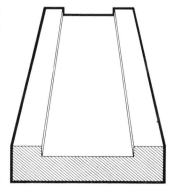

Placa de yeso para formar planchas de arcilla con un rodillo o por vaciado.

Utilización de planchas para la confección de una caja.

tros de lado es preciso utilizar arcillas de partículas muy gruesas, como las refractarias.

Herramientas: tablero de madera o plancha de yeso, rodillo y guías o cortador de arco, regla, cuchillo, patrones de papel, arpillera o pedernal.

Procedimiento: en primer lugar es preciso cubrir el tablero con arpillera o bien espolvorear pedernal sobre el mismo para impedir que se adhiera la arcilla a la madera. El tablero (o tableros) que se utilice ha de tener una extensión suficientemente amplia para que sea posible hacer en una sola operación la totalidad de las caras del objeto con el fin de que éstas presenten un mismo grado de humedad a lo largo de todo el proceso de modelado. Se fijarán con tornillos las guías de madera a los tableros de modo que después puedan desmontarse sin dificultad. Se determinará de antemano el tamaño de la pieza y se colocará seguidamente sobre el tablero la masa de arcilla adecuada.

Cabe utilizar en lugar de un tablero de madera una plancha de yeso, con la ventaja de que, como la arcilla no se adhiere a este material, las planchas sobre él formadas se encogen uniformemente por ambas caras. Dado que las guías de madera no se sujetan bien sobre el yeso, es conveniente moldear la plancha de yeso con escantillones que sirvan a este fin. Se extiende la arcilla en forma de plancha sobre el tablero, con ayuda de las guías o un cortador de arco y se alisan a continuación las superficies obtenidas con una pieza plana de caucho o un raspador flexible de acero. Se dibuja directamente sobre la arcilla la forma de las piezas a recortar, o bien se utilizan patrones de papel para una mayor precisión. Se recortan las planchas según la forma deseada y se retira la arcilla sobrante. Acto seguido, se dejan secar las piezas hasta que alcancen consistencia de cuero y puedan ser manipuladas sin que se deformen; entonces deberá dársele la vuelta para que se sequen uniformemente por ambas caras, pues acabarían combándose si una se seca y encoge más deprisa que la otra.

Objeto chino en forma de casa, dinastía Han. Construido con planchas, decoradas
con incisiones y pintadas sin barnizar.

Cuando hayan alcanzado consistencia de cuero, se recortan al tamaño exacto. También en esta fase deben hacerse los cortes pertinentes si la ensambladura de los lados va a efectuarse a inglete. Se rallan los cantos a unir y se aplica barbotina por encima. El ensamblaje de las piezas se inicia normalmente fijando a la base uno de los lados y añadiendo a continuación el resto de las piezas como mejor convenga. En cualquier caso, los cantos a unir se rallan, se cubren con barbotina, se unen las piezas y se frotan con cuidado una contra otra para conseguir su adhesión. Al hacer esto último debe notarse que gradualmente aumenta la resistencia a este movimiento, pues ello indica que la unión está bien hecha. La barbotina que sobresalga de las aristas ha de limpiarse concienzudamente.

En lugar de utilizar barbotina, allí donde sea preciso obtener resultados más finos, conviene a veces emplear sólo agua, y no tienen porqué presentarse problemas de adherencia siempre que los cantos se rayen en la forma habitual y se aplique agua sobre todas las superficies que vayan a unirse. Al juntar las piezas y desplazar muy ligeramente la una contra la otra, como se ha explicado, se desprenden de los bordes en contacto algunas partículas de arcilla que se disuelven con el agua formando una barbotina. Así pues, el procedimiento viene a ser el mismo y se ha de notar también la citada resistencia al frotamiento de las piezas.

En la confección de objetos de grandes dimensiones es conveniente reforzar todas las uniones por el interior con rollos de arcilla, ya que de este modo se reparte por las paredes la tensión que se origina durante el secado y la cocción en lugar de concentrarse en las aristas que son los puntos más delicados de las formas construidas con planchas.

Es posible también utilizar las planchas de una manera más libre efectuando el ensamblaje de las piezas mientras éstas se encuentran todavía blandas. Este procedimiento resulta muy atractivo, pero entraña el riesgo de que se separen las piezas en alguna fase más avanzada del proceso. Su perfecto dominio sólo se consigue al cabo de muchas horas de práctica, pero en contrapartida tiene la ventaja de propiciar la espontaneidad y la obtención de unos resultados originales. Si las piezas de arcilla están suficientemente blandas en el momento en que vayan a ser unidas se puede prescindir de rayar los cantos y aplicarles barbotina.

MOLDEADO A PRESIÓN

Se trata de un procedimiento muy similar en algunos aspectos al de vaciado de barbotina (véase página 76), con la excepción de que en este caso la arcilla estropeada es plástica y más resistente cuando se seca. La industria lo ha utilizado muy frecuentemente para la obtención de piezas y formas de grandes dimensiones, cuya fabricación por medio de vaciados de barbotina hubiera supuesto una inversión en equipo o en mano de obra excesivamente elevada.

Herramientas: tablero cubierto de arpillera o espolvoreado con pedernal, rodillo y guías o cortador de arco, cuchillo, molde o superficie de moldeo, esponja.

Procedimiento: Se extiende la arcilla o se corta en planchas finas, alisando la superficie como se ha explicado anteriormente (véase página

Autorretrato de Peter Palmer. Arcilla moldeada a presión en un molde de ocho piezas. La figura ya ensamblada está situada en una vagoneta de horno.

59). Si existe el más mínimo riesgo de que la arcilla pueda adherirse a la superficie del molde, debe cubrirse ésta con un separador, como pedernal por ejemplo. En el caso de que la forma de la pieza sea muy compleja, y siempre que exista la posibilidad de que ésta quede atrapada en el molde sin que sea posible desprenderla, puede ser necesario confeccionarla en varias partes, que se retirarán del molde cuando hayan alcanzado consistencia de cuero y se ensamblarán siguiendo el procedimiento explicado para el modelado con planchas.

Una vez extendida la arcilla con el rodillo deberá llevarse hasta el molde levantándola, o bien colocando éste boca abajo sobre ella para después invertirlo junto con el tablero, la arpillera y la arcilla, retirando después la arpillera y el tablero. Con una esponja húmeda se adapta la arcilla a la forma del molde, pero poniendo especial cuidado de no estirarla en exceso para evitar que se agriete o quede demasiado delgada para soportar la cocción. Una vez adaptada se puede presionar la arcilla contra el molde para obtener una reproducción satisfactoria de la superficie de éste. Se recortan los sobrantes con un cuchillo y, cuando la pieza alcanza consistencia de cuero, se retira del molde. Si se han formado algunas marcas o pliegues indeseados pueden a continuación rellenarse o limarse.

Moldeado a presión en molde convexo.

Pieza recortada y terminada.

La elección del molde es una cuestión personal, si bien existen moldes de diversos tipos. Los hay cóncavos y conexos; algunos son en realidad objetos para otros usos que se eligen por el interés de su forma o superficie, y muchos se confeccionan expresamente, en madera, arcilla (modelada y bizcochada) o yeso. Para obtener formas complejas pueden ensamblarse entre sí cualquier número de piezas previamente moldeadas.

Para la producción de piezas decoradas con engobes los ceramistas suelen elegir moldes convexos. La superficie cubierta con engobe queda en contacto con el molde durante el proceso y debe tener una consistencia cercana a la de cuero para ser moldeada a presión.

CONFECCIÓN DE ASAS

Describiremos ahora el método tradicional para la confección de las asas de piezas modeladas en el torno. No se necesita ninguna herramienta siempre que el trabajo se lleve a cabo cerca de una pila o fregadero; en caso contrario se requiere un barreño grande con agua limpia.

Se procede de la forma siguiente. Se amasa una pequeña cantidad de la misma arcilla utilizada para modelar la pieza, dándole forma semejante a

Varias asas, una de ellas trenzada (izquierda) y los tres restantes obtenidos por el tradicional procedimiento de estorado.

Tres fragmentos de piezas en los que se aprecian distintos modelos de asas con apoyo para el pulgar.

Vasija de arcilla roja común sin barnizar, modelada en el torno y con tres asas realizadas por el procedimiento tradicional de estorado. Barnizada por el interior.

la de una zanahoria y se coloca sobre el borde de un estante situado a una altura conveniente de manera que queden colgando unos dos tercios de su volumen. Con las manos húmedas se estira la arcilla desplazando el pulgar y el índice a lo largo de la misma, desde la parte más gruesa hacia la más fina, para obtener una forma alargada.

Poco a poco irá obteniéndose una tira fina de arcilla, de sección cóncava cuando se ejerce presión con los pulgares sobre el centro, o con una arista longitudinal en el centro si los pulgares se desplazan simultáneamente a lo largo de los bordes. En cuanto se tenga una tira ligeramente más larga de lo necesario, se desprenderá del resto de la masa y se colocará sobre un tablero para que se endurezca. Esto debe hacerse con mucho cuidado, porque mientras la arcilla está blanda es muy fácil deformarla. Un poco antes de que alcance consistencia de cuero puede curvarse en la forma deseada y adherirse a la pieza.

8. Vaciado de barbotina

Para el vaciado de barbotina, igual que para el moldeado a presión, es necesario utilizar moldes. La barbotina es una suspensión de arcilla en agua que, al verterse en un molde poroso, deposita sobre las paredes de éste una capa de arcilla plástica. Su estado líquido permite la reproducción de formas más complejas que las que se obtienen con esta última. El proceso comporta algunos problemas, a veces difíciles de resolver; no obstante, es muy utilizado en la industria debido a que permite la división del trabajo, ya que se requieren diferentes conocimientos para diseñar y fabricar moldes, formular y preparar la barbotina, y efectuar el acabado de las piezas. En los talleres artesanales, sin embargo, no suele merecer la pena dedicar tanto tiempo como se precisa para la confección de un molde, a menos que se prevea la reproducción de una docena, como mínimo, de piezas idénticas. Pero, por otra parte, el vaciado de barbotina resulta a veces la única técnica adecuada para reproducir con detalle determinadas formas, como son por ejemplo las de algunos objetos materiales o autofaciales de distintos materiales.

La pieza que se utiliza para confeccionar el molde se denomina "modelo" y puede ser de cualquier material. Si el molde está bien realizado se pueden obtener con él formas absolutamente idénticas a la del modelo. Normalmente se utiliza yeso para su cofección, pero en determinadas circunstancias (véase página 72) cabe también la posibilidad de emplear arena. Por regla general los moldes de arena se destruyen al sacar la pieza vaciada, y este inconveniente, junto con la textura que la arena confiere a su superficie, hace de ésta un material inapropiado para el vaciado de muchas formas.

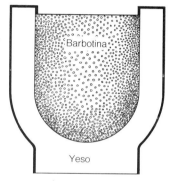

Vaciado de barbotina en un molde poroso.

YESO DE PARÍS

El empleo de yeso de París para la confección de moldes empezó a hacerse práctica común en el siglo XVIII. Su obtención se efectúa calentando piedra de yeso a 107°C para que se desprenda parte del agua combinada químicamente con el mismo. Al añadir agua al polvo resultante se obtiene un líquido cremoso que fragua de modo natural formando una masa porosa y dura. Es preciso que el yeso no sea viejo, pues si se almacena durante mucho tiempo va absorbiendo la humedad ambiental y no llega después a fraguarse satisfactoriamente cuando se le añade más agua. En el proceso de fraguado se genera calor y, además, una expansión que tiene por efecto el presionar fuertemente el yeso todavía blando contra el modelo haciendo que quede marcado en el mismo hasta el más mínimo detalle. Una vez que se enfría del todo el yeso vuelve a contraerse hasta su volumen inicial lo que facilita la extracción del modelo.

Es imprescindible dejar fraguar el yeso líquido dentro de algún tipo de armazón que lo sostenga, y no sacarlo de él hasta que no se haya producido el enfriamiento que sigue al calor generado en el proceso. Las paredes del armazón pueden ser de cualquier material siempre que tenga la suficiente resistencia, no sea poroso y pueda desprenderse fácilmente del yeso una vez fraguado. Son apropiados, el plástico, la madera, el linóleo y el mismo yeso en forma de planchas enjabonadas. Estas últimas se cortan y se liman con facilidad para adaptarlas al contorno del modelo. El armazón no debe permitir el paso del yeso líquido, por lo que cualquier resquicio que quede entre las paredes debe rellenarse con arcilla plástica.

El yeso puede modelarse, limarse o afinarse con cristal esmerilado para darle la forma o la textura que se prefiera. Siempre que tenga que efectuarse una unión entre una pieza de yeso duro y un nuevo vaciado de yeso líquido, debe texturarse la superficie dura y empaparse de agua. Por el contrario, cuando se vacía yeso líquido sobre un armazón o un modelo de yeso duro, con la intención de separar ambas partes ulteriormente, es necesario utilizar un separador, como un jabón blando (denominado, a veces, plaste de alfarero), por ejemplo, que ha de aplicarse con

Tres moldes: el de la esquina inferior derecha contiene la mitad de una pieza vaciada.

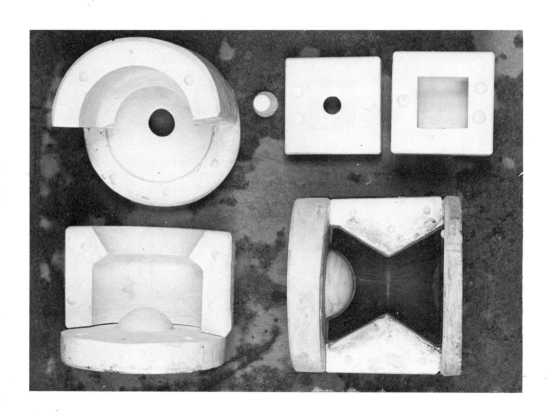

una esponja reservada para este fin. Es preciso aplicar varias manos, ya que la primera será absorbida por el yeso.

Los recipientes más apropiados para mezclar el yeso son los jarros barnizados de boca ancha, pues se limpian fácilmente sin que queden adheridos a su superficie restos de yeso viejo. Es importante respetar las indicacines del proveedor, en cuanto a las proporciones de la cuerda y evitar el yeso fresco con restos de yeso duro, que no aceleran el fraguado. Para obtener sin dificultad una mezcla homogénea hay que echar siempre el yeso sobre el agua y no el agua sobre el yeso. Al mezclarlos debe hacerse con cuidado de no incorporar aire, así como deshacer o eliminar los grumos que se formen. Toda esta operación se hace normalmente a mano, aunque en talleres donde es preciso obtener bloques voluminosos suelen emplearse mezcladoras mecánicas. En el secado del yeso no deben sobrepasarse nunca los 60 °C, pues de lo contrario el material se quiebra y se disuelve al entrar en contacto con el agua.

Advertencia: el yeso de París no debe jamás contaminar la arcilla utilizada para el modelado de piezas que más tarde se someterá a cocción, pues como se expansiona al absorber agua del ambiente, incluso la más diminuta partícula que quede atrapada en el interior de la arcilla puede deteriorar la pieza terminada si aumenta de tamaño una vez producido el enfriamiento, defecto que adopta la forma de un pequeño cráter y que se manifiesta algún tiempo después de que la pieza haya sido cocida (véase página 141).

CONFECCIÓN DE MOLDES DE YESO

Herramientas y materiales: lima gruesa, jarra barnizada, cajón de moldes o armazón, herramientas de modelado, jabón blando, esponja.

El modelo puede ser un objeto cualquiera hecho de cualquier material. Las formas especiales se modelan generalmente en yeso, aunque en algunos casos puede resultar más conveniente modelarlos en arcilla o madera.

No conviene utilizar como modelos piezas dentadas o con rebajes ya que tienden a quedar aprisionadas en el molde. En cambio resultan muy apropiados los objetos de diversos materiales (en especial de plástico), obtenidos por algún procedimiento de moldeado, sobre todo si conservan las marcas del molde primitivo que pueden ser utilizadas como guías para hacer la división del molde de yeso. Todos los moldes, excepto los de arcilla, tienen que cubrirse con una mano como mínimo de un separador apropiado,como vaselina, por ejemplo, disuelta con trementina, diversos medios grasos o incluso el jabón blando mencionado. En cualquier caso el producto empleado debe ser lo suficientemente fluido como para que no deje marcas en la superficie del modelo.

El tipo má sencillo de molde es el que consta de una única pieza, y con él es posible extraer tanto el modelo como el objeto vaciado sin necesidad de divisiones; no obstante, con estos moldes sólo pueden hacerse formas muy simples.

En lo que respecta a los moldes de varias piezas, son tan diversos los tipos existentes que no pueden darse reglas fijas. Lo mejor es empezar

Confección de moldes. Se ha utilizado una lámina de hojalata para formar la pared de contención externa y yeso y arcilla para la lateral.

con uno de dos o tres piezas, para luego, con más experiencia, trabajar con otros más complejos. Todas las piezas de un molde deben ser de igual espesor (por lo general unos cinco centímetros), para lograr un vaciado uniforme de barbotina, porque cuanto más gruesa es la escayola más agua absorbe y, por consiguiente, más grueso es también el depósito de arcilla que retiene durante el proceso de vaciado. El vaciado de las distintas piezas se efectúa por separado, empezándose generalmente por la parte superior, siguiendo por las paredes, una a una, y terminando por la base. A medida que va obteniéndose cada una de ellas y, antes de separarla del modelo, es preciso entallar las llaves que permiten un registro exacto de las distintas partes, generalmente consisten en unas depresiones semiesféricas, realizadas con una herramienta de modelado en la parte lateral de la pieza. Las depresiones de una pieza producen en la adyacente unas protuberancias igualmente semiesféricas. En el comercio se pueden adquirir llaves prefabricadas. Una vez moldeada la primera pieza hay que eliminar cualquier aspereza o irregularidad que pudieran tener los bordes, para, a continuación entallar las llaves en los laterales que vayan a estar en contacto con las piezas que han de vaciarse a continuación, y enjabonar el exterior del molde. El jabón no debe entrar en contacto con la superficie interior porque le restaría porosidad, inutilizando el molde para vaciador de barbotina.

Si el molde va a ser una caja cerrada por todos los lados es necesario practicar un orificio en uno de ellos para poder introducir y extraer la barbotina del interior. Para ello, antes de moldear la correspondiente pieza, hay que colocar sobre la parte correspondiente del modelo un tapón enjabonado de yeso o arcilla, que se retira cuando el yeso haya fraguado totalmente. El tapón debe tener la forma de un cono truncado, con la parte más estrecha en contacto con el modelo. Los orificios que queden en las piezas vaciadas en este tipo de moldes pueden cubrirse con pequeñas placas de barbotina, aunque es preciso dejar siempre un pequeño orificio sin tapar para que pueda circular el aire por el interior de la pieza durante la cocción.

Cómo separar el modelo del molde

Como el yeso se expansiona durante el proceso de fraguado, no se debe intentar extraer el modelo hasta que el molde no se haya enfriado. Si se ha aplicado bien el agente separador sobre el modelo, las distintas partes del molde, prenderán rápidamente con golpes secos, no muy fuertes. Ocasionalmente puede ser necesario utilizar palancas aunque, sino se extreman las precauciones, lo más probable es que se rompa el molde, el modelo o ambos. A continuación hay que eliminar cualquier protuberancia de la parte exterior del molde que pudiera desprenderse y mezclarse con la barbotina durante el vaciado (véase página 78). Luego se ensamblan todas las piezas y se sujeta el molde con una cuerda o gomas elásticas gruesas (son ideales las tiras de cámaras de neumáticos viejos). Si se emplea cuerda conviene practicar unas entalladuras por el exterior del molde para que no se resbale la atadura. Es importante sujetar las piezas de este modo pues de no hacerse así se corre el riesgo de que se comben durante los procesos de secado o vaciado. Cuando el molde esté del todo seco (cosa que puede tardar varios días en ocurrir) se puede proceder al vaciado.

Un modelo terminado junto al correspondiente molde.

71

VACIADO EN ARENA

Los objetos obtenidos por este procedimiento, muy empleado en la industria en particular para la fabricación a bajos costos de formas metálicas complejas, presentan inevitablemente la textura de la arena.

Herramientas y materiales: cajón de arena (un armazón alto y rígido de madera o metal con asas por fuera), pisón y arena para vaciado (de la que se utiliza para el vaciado de metales).

Procedimiento: se coloca el modelo sobre un tablero y, a continuación el cajón. Se vierte la arena sobre el mismo cerciorándose de que queden rellenos hasta los más pequeños recovecos. Cuando esté casi del todo tapado se presiona fuertemente la arena hacia abajo con el grisón. Se continúa añadiendo más arena y comprimiéndola de igual modo hasta llegar al borde de la caja. A continuación se invierten el tablero y el cajón, se retira el tablero y se extrae el modelo de la arena. Si la arena contiene suficiente cantidad de aglutinante, conservará perfectamente la forma del modelo. Debe tenerse en cuenta que si el modelo presenta algún rebaje, lo más probable es que éste desplace la arena al ser extraída la pieza, alterando la forma del molde.

Vaciado

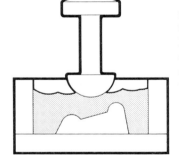

Una vez obtenido el molde por este procedimiento se puede proceder al vaciado de la barbotina. Como la arena es un material poco absorbente, la barbotina suele tardar en secarse hasta alcanzar el espesor deseado. La arena debe estar bien compactada para que el molde pueda inclinarse con objeto de vaciar el exceso de barbotina, pero en caso de que no lo esté puede extraerse la barbotina sobrante con un sifón. Cuando el vaciado haya alcanzado consistencia de cuero, se coloca un tablero encima del cajón y se invierte éste, retirando con cuidado toda la arena. Como es lógico, para reproducir nuevamente la misma forma es preciso rehacer el molde.

Cabe también la posibilidad de obtener moldes más complejos, pero para ello se necesita considerable destreza.

Procedimiento de vaciado en arena.

ARCILLAS PARA VACIADOS DE BARBOTINA

Cualquier arcilla destinada a la preparación de barbotinas para vaciado debe reunir necesariamente las siguientes cualidades:

1. Que permita la reproducción detallada de superficie del molde.
2. Que encoja lo menos posible para evitar verse obligado a utilizar moldes excesivamente grandes. (Las combinaciones materiales de agua y arcilla encogen tanto al pasar del estado líquido al sólido, que si tuvieran que ser empleadas para vaciados sería preciso emplear moldes tan grandes, incluso para confeccionar objetos pequeños, que su manejo resultaría difícil).

Botas, de A. Sims, 1971.
Altura, 30 cm. Vaciado de
barbotina y barniz de loza
común con lustre de platino.

El armario rojo de Robert, de
D. Hamilton, 1973. Modelado
con planchas y decorado con
incisiones y relieves; barniz
rojo de cadmio.

3. Que tenga la resistencia adecuada una vez seca.
4. Que no moje el molde hasta el punto de que éste tarde demasiado tiempo en secar entre un vaciado y el siguiente.
5. Que se mantenga en suspensión en lugar de sedimentarse en el fondo del molde.

La barbotina puede ser de cualquier color, pero no todas las arcillas o cuerpos son apropiados para su preparación.

Defloculación

Se llama así a la práctica consistente en añadir un electrolito a la arcilla con el fin de incrementar la fluidez de la suspensión y poder, de este modo, reducir la proporción de agua. Muchas arcillas han de mezclarse con su mismo peso de agua para obtener una suspensión lo suficientemente fluida; en cambio, barbotinas de floculadas alcanzan la fluidez adecuada con solamente la cuarta parte de su peso en agua. La defloculación tiene por objeto el conseguir una barbotina con un bajo índice de encogimiento y, al mismo tiempo que no moje en exceso los moldes. En la práctica se mide en primer lugar la cantidad de agua que va a necesitarse, según el peso de la arcilla a emplear, y se le añade el electrolito; a continuación se vierte esta solución en el recipiente y se agrega la arcilla. El recipiente más apropiado es una mezcladora, dotada de unas aspas que giran con relativa lentitud. Tras algunas horas de funcionamiento, el agua y la arcilla contenida en el recipiente formarán una mezcla homogénea.

La cantidad exacta de floculador que se precisa para producir una barbotina adecuada con una arcilla determinada sólo puede determinarse experimentalmente, pero por regla general las arcillas que requieren mayor cantidad de defloculador que el 0,5 % de su peso en seco se consideran inadecuadas para el procedimiento de vaciado, porque suelen deformarse durante el secado y corroen en muy poco tiempo los moldes de yeso. Los proveedores de arcillas suelen orientar al comprador con respecto a las más adecuadas para la preparación de barbotinas para vaciado, así como a las cantidades exactas de defloculador que cada una requiere.

La escasez de defloculador es la causa de que una barbotina requiera una cantidad excesiva de agua para fluidificarse, y exceso del mismo dará lugar a recortar una arcilla difícil de recortar tras efectuar el vaciado. Algunos fabricantes venden barbotina para vaciado ya defloculada y lista para su uso en recipientes retornables.

Los electrolitos que más se utilizan son el silicato de sodio y el carbonato sódico. Es frecuente incluir ambos ingredientes en proporciones iguales en las barbotinas, aunque ésto depende del tipo de arcilla utilizada. El silicato de sodio existe en distintas graduaciones, medidas en grados "Twaddle" (°Tw), a las cuales debe prestarse mucha atención a fin de elegir el tipo adecuado para cada arcilla. El carbonato sódico debe guardarse en recipientes herméticos, porque si se combina con la humedad del ambiente produce un compuesto, el hidróxido sódico, que actúa como floculador provocando grumos en la arcilla que termina depositándose en el fondo del recipiente.

(Página opuesta) *X roja*, de John Mason. Altura 1,5 m. Construida con planchas y decorada con barniz de cadmio y selenio.

El efecto que los electrolitos producen en las mezclas de arcilla y agua no está todavía perfectamente explicado, aunque existe la teoría de que los electrolitos invierten la carga eléctrica de algunas de las partículas de arcilla, con lo que éstas, en lugar de atraerse se repelen lo cual incrementa la fluidez de la suspensión.

Cuando se ha obtenido una barbotina para vaciado de calidad aceptable hay que extremar las precauciones para conservarla en buenas condiciones. Cualquier resto de arcilla que se haya secado y no sirva debe desecharse o reservarse par otras aplicaciones, pero nunca volverse a guardar con la barbotina sin usar, ya que podría deteriorarla.

Como la arcilla es un material abrasivo y los álcalis tales como el silicato de sodio y el carbonato sódico son corrosivos, su mezcla es susceptible de desgastar en muy poco tiempo las superficies blandas como la del yeso por ejemplo, y en consecuencia, los moldes de este material van perdiendo precisión en los detalles y al cabo de unos veinte

Mezcladora y tamiz vibratorio. A la izquierda se ve otra mezcladora para barbotina y barnices.

Llenado de los moldes: el de la derecha debe rellenarse ya que el nivel de la barbotina ha descendido.

vaciados resultan muchas veces inservibles. Por otra parte una porción del electrolito penetra en el yeso junto con el agua que éste absorbe y con el tiempo provoca la aparición en el exterior del molde de una especie de sarro que sin embargo carece de importancia.

Una vez preparados el molde y la barbotina, el resto del rabajo es relativamente sencillo. En primer lugar se hace pasar la barbotina a través de un tamiz de malla 120 tanto si está recién preparado como si se ha almacenado durante algún tiempo. La barbotina colada se vierte en el molde hasta llenarlo por completo, teniendo siempre la precaución de ir reponiendo el nivel cuando éste descienda, pues de no hacerlo así es posible que se calibre erróneamente el grosor de la pieza vaciada y se formen secciones más gruesas en la parte inferior de la misma. Ello es debido a que mientras la barbotina permanece en el molde las superficies de yeso absorben agua y retienen una capa de arcilla, y, a medida que van

Escurrido del molde.

empapándose aumenta el espesor de la capa de arcilla depositada hasta que, o bien se satura de agua el molde o se hace tan densa la arcilla que no deja pasar el agua a través de sus partículas. En la práctica, tanto la barbotina como el molde están elaborados de tal manera que ninguna de ambas situaciones se produce antes de que la pieza vaciada alcance el espesor deseado.

La duración del proceso de vaciado es variable y depende del tipo de barbotina utilizado. El procedimiento más sencillo para calibrar el grosor de la pieza en cualquier momento durante el proceso de vaciado consiste en inclinar el molde de modo que pueda verse la capa que va quedando adherida a sus paredes.

Una vez obtenido el espesor deseado se coloca el molde boca abajo sobre una palangana o un cubo para permitir que salga el exceso de barbotina y obtener una pieza hueca.

Mientras se efectúa esta operación debe procurarse que no caiga ningún fragmento de yeso en la barbotina porque actuaría como floculador, sedimentando la suspensión.

Cuando la superficie de la pieza vaciada, todavía en el molde, ha perdido el brillo, se iguala con un cuchillo bien afilado poniendo especial cuidado en no despegar la arcilla del molde para que no se deforme. En cuanto haya alcanzado consistencia de cuero se puede abrir el molde para sacarla, seguidamente, se afina con un cuchillo, se eliminan las partes sobrantes que pudieran existir por necesidades del proceso de vaciado y se alisan las asperezas, si las hay, con una esponja húmeda. En el caso de que el objeto haya sido vaciado en varias piezas, o bien deba modelarse o modificarse de algún modo, deben efectuarse en este momento las operaciones oportunas. Las piezas vaciadas por separado también pueden unirse entre sí estando ya secas, pero este trabajo resulta muy aventurado para un principiante debido a la fragilidad de las mismas. No siempre es preciso rayar las junturas en el caso de piezas obtenidas por vaciado, y cabe emplear tanto agua como barbotina para lograr una buena unión.

Las piezas obtenidas por el procedimiento de vaciado se secan muy rápidamente y al cabo de veinticuatro horas suelen estar listas para ser bizcochadas.

El molde, la pieza vaciada sin alisar y una pieza ya bizcochada (nótese el encogimiento).

Figura con plátanos, de Jack Earl,
1968. Jarra decorada en pocelana
obtenida por vaciado.

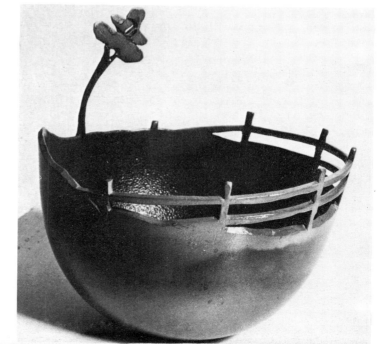

Cuenco con paisaje, de Irene Sims.
Pieza de semiporcelana, obtenida
por vaciado, pintada con
aerógrafo bajo el barniz.

9. Procedimientos mecánicos para el modelado de la arcilla

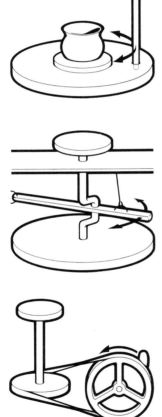

Tornos de alfarero manuales: (arriba) rueda oriental; (centro) rueda accionada con el pie; (abajo) rueda de correa (el volante se hace girar manualmente).

La aplicación directa de la información que este capítulo contiene depende inevitablemente del equipo de que se disponga. Aunque cada marca de maquinaria tiene sus peculiaridades de diseño, en general todas ellas tienden a amoldarse a unos principios básicos. En la mayoría de los casos, las innovaciones técnicas tienen por objeto el incrementar una producción especializada en todos aquellos campos en los que la mano o la destreza humana resultan en la actualidad excesivamente costosas. Dos de los tres procesos que se describen son en realidad procedimientos industriales que pueden llevarse a cabo en un taller artesanal sin demasiada experiencia, y el tercero, el modelado con torno, es problablemente el más popular y atractivo de todos los procedimientos para el principiante.

MODELADO CON TORNO

Para modelar una forma de arcilla en el torno de alfarero se necesitan unas dosis considerables de paciencia y práctica. No existe un procedimiento único, entre otras razones porque se trata de una actividad que se conoce, hasta donde se sabe, desde el siglo III a. de J.C. y, consecuentemente, ha estado sometida a muy diversas modificaciones a lo largo de diferentes culturas y épocas históricas.

Se puede decir que una pieza modelada con torno expresa tantos aspectos de la personalidad de su autor como la caligrafía, por lo que cada ceramista desarrolla unas características propias de acuerdo con su idiosincrasia. En cuanto se domina la técnica este procedimiento de modelado es uno de los más rápidos y uno de los más comunes en los talleres artesanos. Si bien principalmente se obtienen formas redondas cabe la posibilidad de introducir en ellas muy diversas variaciones.

Tornos

Existen tornos de alfarero de diferentes tipos, tanto accionados por el ceramista como dotados de motor. Entre los primeros, los más corrientes son los que se accionan moviendo el volante con el pie o una palanca que va unida al eje. En Oriente son corrientes los tornos en los que se hace girar el volante con la mano, se tornea la arcilla hasta que la rueda va perdiendo impulso y se vuelve a girar el volante de nuevo. Los tornos mecánicos son accionados en la mayoría de los casos por un motor eléctrico a través de varios transmisores de fricción o un reostato variable. Existen diferentes criterios sobre el tema de los tornos, y muchos anteponen los accionados con el pie a los eléctricos. Todo ello es cuestión de preferencias personales y el único consejo que puede ofrecerse es que se prueben ambos y, si es posible, diferentes variedades de cada tipo.

Tipos de arcilla

Para modelado con torno se necesitan arcillas plásticas, que no sean demasiado finas para que no se ablanden excesivamente durante el proceso. Muchas arcillas superficiales resultan bastante apropiadas para este procedimiento si se limpian bien de piedras y restos vegetales, pero también están a la venta cuerpos ya preparados especiales para el modelado con torno. Las arcillas refractarias resultan en general demasiado gruesas, pero pueden emplearse si se protegen los dedos y las palmas de las manos con unas almohadillas de cuero. Y en cuanto a la porcelana y la porcelana de huesos, resultan muy difíciles de modelar en el torno, ya que poseen un tacto pegajoso y tienden a derrumbarse, a menos que inicialmente se dé a las formas una sección más gruesa de lo que se desea y, cuando tengan consistencia de cuero, se torneen para afinar las paredes.

Amasadura

El primer paso consiste en amasar la arcilla hasta obtener una masa homogénea sin cuerpos extraños ni burbujas de aire. Hay dos sistemas de hacerlo.

Herramientas: cortador de alambre o arco; mesa de amasado o mesa robusta.

Procedimiento: el primero de ellos se basa en efectuar la amasadura de modo similar a como se amasa el pan. Aunque resulta difícil de explicar con detalles, se puede decir que consiste en mover la masa en espiral, estirándola y comprimiéndola en un mismo movimiento. El segundo procedimiento resulta más fácil de describir, y probablemente también de dominar para quien todavía carece de experiencia. Se forma con la arcilla un prisma triangular, colocando ambos pulgares sobre el lado izquierdo de la masa de modo que los demás dedos abarquen la arcilla por dicho lado, se levanta la masa a continuación y se hace girar noventa grados de manera que la cara que antes estaba a la izquierda quede ahora arriba. Con ayuda del cortador de alambre o de arco se corta la arcilla paralelamente a la superficie de trabajo. Se separa la pieza de encima y se alisa sobre la mesa la superficie cortada de la de abajo, eliminando al mismo tiempo cualquier cuerpo extraño o burbuja de aire que ésta pudiera tener. Al golpear esta parte con las palmas de las manos la superficie debe quedar suavemente curvada. A continuación se trata de igual modo la pieza de encima, pero dejando plana la superficie cortada. Se levanta seguidamente con las manos y, en posición invertida, se

Tornos de alfarero eléctricos: (arriba) transmisión por fricción; (centro) rueda de doble cono; (abajo) rueda eléctrica de velocidad variable.

Amasadura.
Se han utilizado arcillas de dos
colores para ilustrar el proceso.

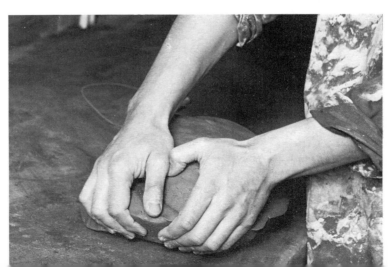

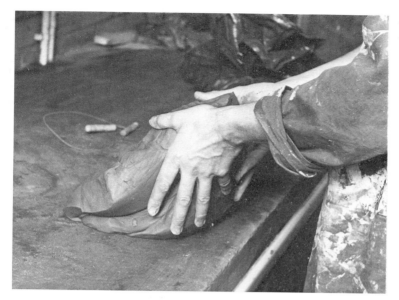

La arcilla a la mitad del
proceso.

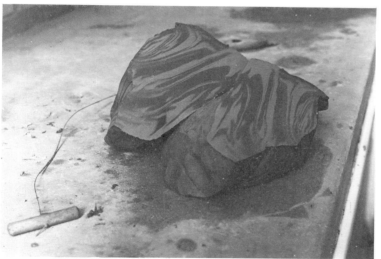

Amasado terminado y
confección de la bola.

presiona de golpe contra la cara redondeada de la otra pieza. En ocasiones se produce un fuerte sonido al salir con violencia el aire de entre las dos piezas. Es importante que ninguna de las dos superficies que han de ponerse en contacto, presente irregularidades pues de lo contrario quedarían atrapadas burbujas de aire y éstas además de dificultar el modelado, suelen producir "ampollas" durante la cocción. El proceso se repite entre diez y doce veces, efectuándose siempre cada corte a noventa grados del precedente en virtud del proceso de invertir la arcilla. Finalmente se corta la masa en porciones de peso conveniente, a las que se da forma de bolas para dejarlas listas para modelar.

Herramientas para modelado con torno: torno del alfarero, cortador de alambre, esponja natural, herramientas de torneado, aguja, barreño con agua.

Procedimiento: el procedimiento modelado con torno exige tener en cuenta varios principios. En primer lugar, el movimiento rotatorio de la rueda tiende a lanzar la arcilla hacia arriba y hacia afuera en cuanto la masa ha sido ahuecada, y si el ahuecado inicial no se ha llevado a cabo con el debido cuidado, la masa asciende asimétricamente y se bambolea de manera descontrolada. Los tres pasos principales son:

1. Centrado: colocación de la arcilla en el centro de la rueda, asegurándose de que gira alrededor del eje de forma homogénea.
2. Ahuecado: consiste en determinar el espesor de la capa de arcilla que se quiere dar a la base (por regla general entre dos y dos centímetros y medio), así como la forma y las dimensiones interiores de la misma.
3. Levantamiento de las paredes: formación de las paredes de la pieza con las manos hasta alcanzar la forma y la altura deseadas.

Centrado: nótese la posición del brazo izquierdo.

La función de la rueda durante el proceso es incrementar las fuerzas que actúan sobre la arcilla. Por tanto, debe girar al máximo de revoluciones mientras se centra y se ahueca la masa, y progresivamente más y más despacio a medida que la forma va ensanchándose, adelgazándose o adquiriendo altura.

A lo largo de todo el proceso de modelado con torno es preciso mantener las manos húmedas porque el agua actúa como lubricante entre ellas y la arcilla, pero existe una limitación de tiempo –entre cinco y diez minutos– para completar la formación de la pieza, pues llega un momento en que el material se satura de agua y se desmorona.

Centrado

Se limpia todo resto de arcilla de la cascía de la rueda y se humedece ésta con agua. Se coloca una bola de arcilla en el centro y se presiona hasta que quede firmemente adherida a la rueda. Al principio el centrado se efectúa manteniendo la arcilla en su lugar con las manos a la vez que se hace girar el aparato. Para mantener ambas manos firmes con el mínimo esfuerzo, se encaja el codo izquierdo entre el muslo y la cadera y se inclina todo el cuerpo hacia adelante, pues en esta postura se puede ejercer la suficiente fuerza con el antebrazo y la palma de la mano. Se trata de que la fuerza sea transmitida a través del hueso estando los músculos relajados con objeto de evitar la fatiga, al contrario de como suelen hacer los principiantes, que tienden a poner rígidos los dedos mientras centran la arcilla, con el entumecimiento y la pérdida de energía consiguientes. Si la arcilla se descentra o resbala, suele ser por una de estas razones: (1) que hay demasiada agua debajo de la arcilla, (2) que toda la masa está demasiado húmeda para que pueda ejercerse sobre ella la fuerza suficiente, (3) que al principio no se ha presionado bien la bola contra la rueda.

Aconado: obsérvese la correcta posición de los brazos y las manos (vista frontal).

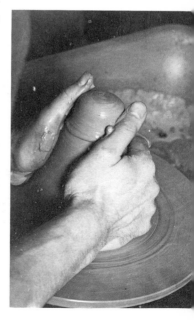

Aconado (vista lateral).

Achatado del cono.

La arcilla centrada.

Ahuecado de la arcilla con el pulgar.

Sección transversal demostrativa de cómo deben levantarse las paredes del objeto.

Una vez centrada la arcilla se puede proceder al *aconado*. Se apoyan para ello los antebrazos sobre la mesa del torno, separando bien los codos y abarcando con ambas manos la masa, de modo que queden simétricas con respecto del eje, estando los pulgares hacia arriba y los costados de las palmas hacia abajo. La fuerza necesaria para comprimir la masa en dirección ascendente se ejerce juntando los codos, siendo preciso mantener la arcilla en su lugar con las manos a medida que aumenta su altura. Si comienza a levantarse por encima de la altura de las manos, deben subirse ambas simultáneamente de modo que la parte superior de la masa quede siempre en contacto con los pulgares. Cuando la arcilla alcanza la forma de un cono alargado, se retiran las manos despacio y con cuidado, pues la arcilla puede descentrarse tanto si se la somete a una presión brusca como si se deja de ejercer presión repentinamente.

A continuación se cambia la posición de las manos de manera que la izquierda abarque la parte superior izquierda del cono y la derecha, con la palma hacia abajo, descanse sobre el vértice del mismo, a la vez que los dedos monten sobre el dorso de la izquierda. Inclinando hacia adelante el hombro derecho y ejerciendo presión hacia abajo simultáneamente se comprime la arcilla con relativa facilidad. La mano izquierda sirve para mantenerla en su lugar y, ejerciendo una presión constante, dan a la masa la forma de un cono truncado,

Todos los pasos anteriores han de llevarse a cabo con las palmas de las manos y procurando no hacer uso de los dedos para que no se formen surcos o estrías que más adelante resultarían difíciles de eliminar.

El aconado debe repetirse unas cuatro o cinco veces, y, cuando finalmente se aplane el vértice, la arcilla debe girar perfectamente centrada.

Ahuecado

Una vez centrada la masa, se rodea la arcilla con las manos situando los pulgares sobre la parte superior, y se introduce el derecho en el centro hasta llegar aproximadamente a una distancia de dos centímetros

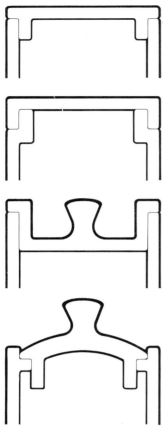

Tipos de tapas.

y medio de la cadena de la rueda. A continuación se ensancha el hueco hasta donde convenga desplazando el pulgar hacia la derecha y reduciendo progresivamente la velocidad de la rueda. Finalmente, antes de iniciar el paso siguiente, se retoca el fondo de la pieza, redondeándolo si lo que pretende hacer es un cuenco o aplanándolo si se desea obtener un recipiente de paredes altas.

Levantamiento de las paredes

Para levantar las paredes, se introduce la mano izquierda en el hueco y se coloca la derecha por fuera; si la forma es lo suficientemente pequeña los pulgares pueden curvarse. Es conveniente mantener los codos bien pegados al cuerpo para poder ejercer un mayor control. Las paredes van adquiriendo altura gracias a la presión que sobre ellas ejercen los dedos, siempre que éstos se encuentren enfrentados en la posición correspondiente al punto central del lado derecho de la pieza. A medida que se levantan las paredes, las manos deben subir al mismo tiempo para que el punto de presión vaya desplazándose gradualmente hacia arriba. Simultáneamente la velocidad de la rueda debe ir decreciendo.

Una vez terminada esta primera fase, se ponen de nuevo los dedos junto a la base con objeto de renovar la presión y continuar el levantamiento de las paredes. Normalmente suele ser necesario repetir toda la operación varias veces hasta completar la altura deseada. Debe tenerse en cuenta que si se ejerce demasiada presión se debilitará la forma con el consiguiente derrumbamiento de la arcilla y, si por el contrario, la presión es insuficiente no se conseguirá levantar las paredes. Por regla general se aplica mayor presión (y un giro más rápido a la rueda) cuando se está trabajando en las partes inferiores o más gruesas de la pieza, mientras que en el tercio superior, que suele ser la parte más delgada y delicada, hay que ejercer muy poca fuerza sobre la arcilla, hasta el punto de que es corriente interrumpir por completo la presión a unos tres milímetros del borde para evitar que éste se doble por un resbalón de los dedos.

Esta parte de la pieza requiere precauciones particulares, y si ha quedado desigual debe recortarse pinchando una aguja en la pared a un centímetro aproximadamente del borde, haciendo girar la rueda y retirando el aro sobrante. Como no se considera ortodoxo dejar un borde cortado en una pieza modelada con torno, conviene a continuación pasar con cuidado una esponja mientras gira la rueda para suavizar el corte.

Se recomienda practicar las operaciones de centrado, aconado y ahuecado hasta adquirir seguridad, y, a modo de exámen, puede cortarse longitudinalmente la pieza de prueba con el cortador de alambre para comprobar su sección. Esta debe ser gruesa junto a la base, ir adelgazándose gradualmente hacia el centro de la pieza. y mantenerse uniforme de ahí hasta el borde.

Como la arcilla se mantiene húmeda y blanda mientras está siendo modelada es necesario dejar en la parte inferior de las paredes un espesor adicional que se elimina después en la operación de acabado (véase página 92).

Para modelar un cilindro perfectamente vertical es preciso contrarres-

Terminación del modelado de un cilindro.

Terminación del modelado de un cuenco.

Una tapa con rebajes.

89

Alfarería y cerámica

Una vasija pequeña.

Otro tipo de tapa modelada en el torno.

Modelado del pico de una jarra.

Limpieza de la base de una pieza modelada en el torno.

(Líneas) Separación de la pieza modelada en el torno.

tar constantemente la tendencia de la arcilla a combarse hacia afuera; en cambio, en la formación de un cuenco de paredes curvas esta misma tendencia facilita la labor.

En el modelado de cualquier forma se deben componer con igual empeño el interior y el exterior, cosa que, por lo general, el principiante sólo consigue a base de un esfuerzo consciente.

Los primeros intentos se harán preferentemente con objetos pequeños (hasta quince centímetros de alto y diez de diámetro) hasta obtener

91

la suficiente experiencia para intentar conseguir formatos mayores. La mayoría de las ruedas mecánicas pueden soportar un peso máximo de arcilla de unos catorce kilos, mientras que en las que se accionan con el pie, este peso máximo varía según el diseño del aparato y la destreza y la fuerza física del alfarero.

Cuando el modelado se ha completado hay que separar la pieza de la rueda cortándola por la base con el cortador de alambre tan a ras de la cadena de la rueda como sea posible. Para ello, se extrae en primer lugar con la esponja cualquier resto de agua que pudiera haber quedado en el interior del objeto, ser recorta el sobrante de la arcilla[1] del contorno de la base y se vierte agua sobre la cadena de la rueda con una esponja. Se agarra con ambas manos el cortador colocando los pulgares directamente sobre el alambre con el fin de mantener firmemente apoyado sobre la rueda mientras se desplaza cortando la arcilla. Es preciso pasar el alambre varias veces, cerciorándose de que exista una buena cantidad de agua entre la arcilla y la cascía de la rueda. Hecho esto, la pieza se debilita por la superfucie de ésta hasta una batea adecuada donde se deja secar.

Acabado en el torno

En cuanto la boca de la pieza esté endurecida se invierte ésta sobre una superficie limpia para permitir que se endurezca también la base. Cuando ésta adquiere la consistencia de cuero se coloca la pieza invertida sobre la caseta de la rueda, bien limpia, y se centra haciéndola girar muy despacio a la vez que se empuja con cuidado hasta situarla en el lugar exacto donde fue modelada. (Conviene comprobar el grosor de las paredes y la base para saber la cantidad exacta de arcilla que es preciso eliminar antes de colocar la pieza en la rueda). Una vez conseguido ésto (para lo que se requiere paciencia en los primeros intentos), se colocará un rollo de arcilla alrededor de la boca de la pieza y se comprimirá con los dedos para adherirlo a la caseta de la rueda, poniendo especial cuidado en no deformar o descentrar la pieza. La eliminación de la arcilla sobrante se efectúa con una herramienta de torneado, de las cuales existen diversos tipos. Por regla general, la base se nivela marcándola con unas incisiones circulares concéntricas de igual profundidad, y eliminando después la arcilla que queda entre ellas desde el centro hacia afuera,

Sujección de la pieza a la cabeza de la rueda antes del acabado.

Incisiones concéntricas en la base del recipiente.

Nivelado de la base.

Eliminación del sobrante de arcilla de las paredes de la pieza.

Tipos de asas: arriba, modelado en el torno; abajo, formada por el procedimiento tradicional de estirado.

poniendo especial cuidado en no perforar accidentalmente la base de la pieza.

Una vez acabada la base se procede a tratar las paredes de igual modo procurando siempre no eliminar demasiada cantidad de arcilla. Si la pieza consta de pie, éste se modela en el torno al mismo tiempo que se acaba la base, asegurándose de que su altura sea superior a la del centro de la base ya que, en caso contrario, la pieza resultaría inestable. El espesor final debe ser el mismo en todos los puntos tanto de las paredes como de la base, exceptuando las piezas de grandes dimensiones, en las que a veces es aconsejable dejar algo más gruesa la parte inferior de las paredes para lograr una mayor solidez. Si la base es plana, es conveniente darle una ligera curvatura que contrarrestará las tensiones que sobre ella van a actuar en los procesos de secado y cochura con el riesgo de rajarla.

Aplicación de piezas complementarias

En ocasiones interesa incorporar a una pieza modelada en el torno algún complemente obtenido por distinto procedimiento, lo que suele hacerse una vez que la arcilla ha alcanzado consistencia de cuero y observando las reglas que se han dado para el proceso de modelado a mano.

Las asas destinadas a piezas modeladas con torno no suelen tornearse ni obtenerse por vaciado, sino mediante el tradicional procedimiento de "estirado" de la arcilla o por extrusión, ya que con éstos se obtienen superficies que combinan mejor con la de la pieza. La extrusión se describe seguidamente, y el "estirado" en la página 64. La única modificación importante que hay que introducir en este caso consiste en utilizar un cortador, semejante a los que se utilizan para modelar, pero con la forma del perfil que se quiera dar a la sección del asa. Esta herramienta permite cortar la arcilla en tiras de la forma deseada.

Es aconsejable que el principiante prepare una selección de asas de diversos formatos y tamaños para poder elegir después la que mejor conviene a la pieza en cuestión.

Extrusión

Para la extrusión de arcilla es necesario contar con una galletera, bien manual, bien accionada por motor. En la galletera, la arcilla es impulsada hacia el cilindro extrusor, cuya boca puede variar tanto en forma como en tamaño. Algunas galleteras están dotadas de una cámara de vacío donde se elimina el aire y se incrementa la plasticidad de la arcilla. Mediante discos cambiables es posible variar la sección de la arcilla extruida. La máquina debe ejercer la presión suficiente para impulsar la masa de arcilla a través del disco y ésta tiene que tener la plasticidad necesaria para no agrietarse ni rajarse. Siempre que se quieran obtener extrusiones tubulares o de grandes dimensiones es necesario utilizar una galletera con cámara de vacío con objeto de eliminar del material las bolsas de aire y conseguir una extrusión densa y uniforme. La separación de la arcilla en capas, debida a la acción rotatoria de las barrenas del aparato, puede provocar la aparición de grietas en los procesos de secado y cochura.

Con este sistema se fabrican tubos para conducción de aguas y piezas cerámicas para diversos artículos eléctricos, incluidos las estufas, así como los enseres de horno tubulares. En los siglos XVIII y XIX, las asas de jarras, teteras y cafeteras se obtenían también haciendo pasar la arcilla a través de un disco extrusor.

Procedimiento: en primer lugar es preciso elegir la forma del disco, el cual debe ser de un metal no demasiado flexible. Para obtener formas sencillas se pueden utilizar discos de madera. En cualquier caso el borde interior de los discos ha de estar biselado, para que la arcilla impulsada a través del cilindro tome la forma del borde exterior. Para hacer extrusiones tubulares huecas hay que utilizar discos de dos piezas (una interior y otra exterior). Normalmente, la interior va fijada a una placa desmontable de manera que su borde queda al ras del de la pieza exterior. Estos discos dobles suelen ser de acero y su confección requiere el concurso de un experto en herramientas de precisión. Montándolos debidamente permiten obtener tubos con paredes perfectamente uniformes. Las firmas especializadas pueden fabricarlos de encargo, pero debido a su elevado precio, estos discos sólo resultan rentables para producción en serie.

Una vez fijado el disco, se introduce la arcilla en la galletera y se aplica la debida presión conectando el motor o accionando la manivela según el caso. Si, debido al formato de la extrusión, ésta tiende a deformarse al salir del aparato, es preciso improvisar una superficie que le sirva de soporte, y, en cualquier caso, es necesario disponer de una plataforma móvil que vaya transportando la arcilla a medida que es extruida por la galletera. En los aparatos verticales, la arcilla extruida sale por la parte

Galletera vertical: la tolva está dotada de una palanca accionada a presión.

Galletera con cámara de vacío y tres juegos de discos para tubos huecos.

(Arriba) Colocación de las matrices en una prensa manual.

(Arriba, a la derecha) Un azulejo prensado a punto de ser retirado de la prensa.

inferior y puede irse cortando en los trozos que convenga para dejarlos secar a continuación sobre tablas.

FORMACIÓN POR PRENSADO

Para el prensado de la arcilla en polvo se requiere una prensa manual, que también resulta muy útil en el caso de emplear arcilla plástica. El procedimiento consiste básicamente en amalgamar la arcilla seca a elevada presión entre unos discos de formas determinadas con objeto de obtener baldosas suficientemente compactadas para soportar la cocción. Para el prensado se limita la preparación de agua entre el 5 y el 15 por ciento, que basta para aglutinar las partículas de arcilla.

Una gran parte de las porcelanas no conductoras de la electricidad y todos los tipos de azulejos industriales se fabrican por prensado en seco, pues siendo muy escasa la cantidad de agua que se añade a la arcilla, el riesgo de que las piezas se deformen durante el secado es muy reducido y, en muy poco tiempo, están listas para la cocción.

Para la producción industrial se utilizan matrices de acero, pero para trabajos más artesanales pueden emplearse de madera o de metales blandos.

Procedimiento: una vez determinado el formato y el dibujo o la textura de las matrices (que han de ser dos: una para la parte superior del azulejo y otra para el dorso), se confeccionan éstas y se colocan en la prensa, rellenando la inferior con la cantidad necesaria de arcilla previamente pesada. (La cantidad exacta para un azulejo del grosor que se desee debe determinarse experimentalmente).

Se aplica presión, se afloja seguidamente la prensa, se extrae la pieza y se pone a secar. Si la arcilla, tanto en polvo como plástica, se adhiere a la matriz, debe inspeccionarse primeramente la superficie interior de ésta por si tuviera alguna rebaba susceptible de enganchar las piezas; pero si ésta no fuera la causa, lo más probable es que se haya empleado una arcilla demasiado húmeda. En tal caso lo mejor es dejar qe se seque, pero si ello no fuera conveniente, puede tratarse la superficie interior de la matriz con un producto que repela el agua, como aceite de colza por ejemplo, aplicando regularmente las manos que sean necesarias.

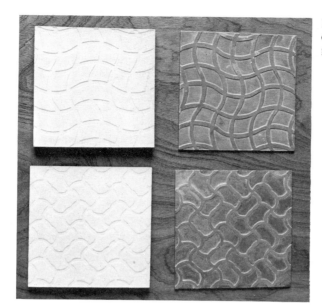

Dos baldosas junto a las correspondientes matrices, grabadas con ácido.

Prensa manual.

10. Modificación de la superficie antes del bizcochado

Cualquier pieza cerámica puede gozar de ciertas calidades, ya sea inherentes al material o derivados del procedimiento de formación, que resulten lo suficientemente satisfactorias como para prescindir incluso del barniz. Sin embargo existen diversas técnicas susceptibles de enriquecer la superficie mediante la modificación de su textura o de su color. Estas técnicas permiten realizar el carácter de las piezas, y hasta la invención de los barnices opacos constituyeron los sistemas más utilizados para la decoración de la superficie de los objetos cerámicos (véase página 122).

MODELADO

En las páginas 47 a 51 figura una lista de las herramientas apropiadas.

Como la arcilla conserva la plasticidad durante algún tiempo después de que se le ha dado forma, es lógico considerar en este período de tiempo la posible conveniencia de decorarla por el sistema de modelado o texturación de la superficie. Este sistema resulta muy apropiado para disimular irregularidades resultantes del trabajo previo.

Una forma de decoración es la que consiste en suprimir una parte de la arcilla con una herramienta de modelado, un cuchillo, una flauta o un punzón de madera. Los cortes pueden hacerse en direcciones determinadas al objeto de componer líneas de impacto visual o bien al azar para crear texturas. En el primero de los casos conviene saber que las líneas que recorren horizontalmente un objeto realzan su perímetro mientras que las marcadas verticalmente contribuyen a acentuar su altura. En cuanto a las que forman un ángulo de cuarenta y cinco grados con respecto a la vetical cuentan tradicionalmente con muchos adeptos entre los alfareros porque dirigen la atención del observador hacia las curvas de la pieza sin restarle esbeltez. Se obtienen a veces excelentes resultados combinando surcos, líneas y diferentes tipos de punteados, efectos que pueden enriquecerse adicionalmente mediante el empleo de determinados tipos de barnices (véase Capítulo 14). Así mismo, las incisiones y las texturas pueden cubrirse con engobes de color u óxidos colorantes (véase Capítulo 11). Otro tipo de texturas son las que se consiguen reproduciendo por presión las de materiales u objetos tales como hierbas o corteza de árboles, tejidos, tornillos, etc., o incluso sellos especialmente

Caballo de cerámico de 78 cm de altura. Dinastía T'ang.

confeccionados para este fin. Es en esta etapa del trabajo cuando el ceramista efectúa el marcado de las piezas con su anagrama u otra identificación por medio de sellos.

La decoración de una superficie con relieves aplicados no presenta problemas siempre que todas las partes a unir se encuentren en la misma fase de secado (preferentemente con consistencia de cuero); asimismo debe ser semejante la expansión térmica. Las aplicaciones pueden ser de distinto color que la pieza (ver página 29), así como tratarse de formas modeladas previamente. A veces resulta necesario rayar y aplicar barbotina sobre las partes correspondientes de la pieza que va a ser decorada con relieves aplicados.

Conviene efectuar pruebas de compatibilidad entre barnices y texturas, ya que bajo una capa espesa de barniz pueden perder definición los efectos de las incisiones, estampaciones o aplicaciones.

COLOR

Para iniciarse en la decoración de la arcilla con colores son necesarios los siguientes artículos.

Pinceles. Los hay de muy diversos tipos: algunos de determinadas características para empleos específicos y otros para uso general. Como todos ellos están muy expuestos al desgaste debido a la textura de la arcilla será preciso reponerlos regularmente si se desea efectuar un trabajo de calidad.

Pinceles de marta: son los mismos que utilizan los pintores y resultan excelentes para muchas de las aplicaciones más especializadas. Son caros, pero a cambio tienen la ventaja de ser muy adecuados para el tipo de colores empleados.

Pinceles para majólica, estos pinceles pueden adquirirse desprovistos de mango para que el propio artesano les coloque el que mejor le convenga. Son especiales para pintar sobre barnices secos sin cocer, y con ellos pueden hacerse trabajos muy finos.

Pinceles delineadores; se emplean para pintar bandas de color de espesor variable según el grosor y el corte del pelo de cada uno.

Brochas para barniz; son pinceles muy gruesos con los que se puede cargar una buena cantidad de barniz.

Pinceles japoneses; se venden en diversos formatos y tamaños, pero resultan menos flexibles que los de marta. Dan muy buen resultado para hacer diseños caligráficos y pinceladas de estilo libre, ya que están concebidos especialmente para pintura gestual. En cambio son menos adecuados para pintar líneas finas o más controladas.

Pinceles para la aplicación de máscaras de cera. Los de cerda son los más apropiados pues tienen la consistencia que se requiere para pintar con cera. Deben reservarse únicamente para esta aplicación.

Los pinceles deben lavarse siempre con agua limpia después de su uso y guardarse en una caja o colgados. Si se guardan en caja hay que proteger el pelo de cada uno con un tubo de papel, pues el cuidado es esencial si se quiere prolongar la vida de los pinceles caros. Asímismo es aconsejable no utilizar para otra cosa los que se empleen para aplicar esmaltes disueltos con un medio graso, porque es muy difícil eliminar

(Página opuesta, arriba) *La agonía en el huerto,* retablo en relieve de terracota barnizada, Andrea della Robbia (1435-1525).

(Página opuesta, abajo) Plato decorado con barbotina, firmado por Thomas Toft (h. 1680).

Vasija anular peruana con pitorro en la parte
superior. Modelada y decorada a mano.

Jarras medievales inglesas, modeladas en el
torno y cortadas sin retocar la base.
Superficies con decoración modelada y
barniz de galena (mineral de plomo).

por completo los restos de este último. Las virolas más indicadas para el ceramista son las inoxidables o las de cañón de pluma, porque las de hierro tienden a oxidarse y manchar los colores.

Peines, de metal, madera o plástico. Se utilizan para marcar incisiones paralelas sobre fondos coloredos. Con hojas de sierra se obtienen efectos similares.

Aplicadores de engobe. Son unas perillas o depósitos de goma equipados con boquillas finas intercambiables, que se utilizan de modo similar a las mangas pasteleras; es decir, la perilla se llena de engobe y se va comprimiendo despacio para componer dibujos sobre la superficie de las piezas. Si se quiere trabajar simultáneamente con engobes de diferentes colores es preciso disponer de varios aplicadores con sus correspondientes boquillas. Deben lavarse siempre ambas partes después de su uso, pues si se deja secar el engobe en ellas costará mucho eliminarlo después incluso dejándolas en remojo.

Plantillas. Se agrupa bajo este encabezamiento cualquier objeto con orificios a través de los cuales se pueden aplicar los colores por pulverización, como por ejemplo coladores, cedazos o piezas de metal con perforaciones. Las plantillas de papel recortado con formas similares se utilizan frecuentemente para enmascarar secciones que no se quieren cubrir con engobe (véase página 110), siendo el papel ideal el que es mate por un lado y brillante por el otro debido a que es absorbente y resulta resistente estando mojado. Estas plantillas se humedecen para hacerlas elásticas y conseguir que se adapten a la superficie del objeto a decorar. A la hora de levantarlas es preciso poner especial cuidado en no deteriorar los bordes de la forma obtenida con ellas.

Cera enmascaradora. Tradicionalmente, el enmascaramiento de las piezas cerámicas se efectuaba con cera diluida con un poco de trementina. La mezcla se calienta hasta que se hace líquida y a continuación se aplica sobre la pieza con un pincel reservado exclusivamente para este uso. La cera se enfría rápidamente formando una película impermeable que repele cualquier color o barniz al agua aplicado sobre el resto de la superficie. En la actualidad se venden emulsiones de cera, pero su calidad no es igual que la de la cera auténtica. En cambio tienen las ventajas de que se aplican más comodamente y se eliminan de los pinceles simplemente con agua. En cualquier caso, la máscara se funde y desaparece durante la cocción dejando al descubierto la arcilla sin tratar.

PINTURA

Para pintar una superficie de arcilla no bizcochada hay que esperar a que se seque algo más que si fuera a ser modelada. A continuación se prepara una suspensión del pigmento en agua con una consistencia semejante a la de la acuarela y se aplica sobre la arcilla, que absorbe el agua y retiene el pigmento. Los óxidos metálicos deben utilizarse siempre con moderación porque tienen un elevado poder colorante. Asimismo es preciso aplicar cada pincelada con sumo cuidado ya que todo se ve después a través del barniz y el más mínimo error es casi imposible de eliminar, hasta el punto de que en la mayoría de los casos, aunque parezca que se ha conseguido, parte del color reaparece después de barnizar el objeto. Este inconveniente lo es sólo en apariencia, pues fomenta la espontaneidad una vez que el artesano ha practicado lo suficiente como para perder el miedo inicial.

Los colores comerciales para utilización "bajo barniz" son mezclas de óxidos colorantes cuidadosamente formuladas para obtener colores normalizados. Tienen sus ventajas y sus desventajas, según el estilo en el que se pretenda pintar. Deben utilizarse siempre siguiendo las instrucciones del fabricante.

Enmascaramiento. Para enmascarar las zonas que no se quieren colorear pueden utilizarse plantillas. Las de papel deben hacerse con uno que sea absorbente con el fin de que una vez humedecidas queden adheridas a la arcilla.

Pulverización. Los pigmentos pueden aplicarse con aerógrafo, instrumento que permite, con la práctica, hacer degradados. Las superficies pintadas de este modo no presentan diferencias de textura.

Pintura a bandas. Las piezas de sección circular pueden decorarse con bandas o rayas de color centrándolas en la rueda y apoyando sobre la superficie un pincel cargado de color de modo que éste vaya depositándose a medida que gira la pieza.

Engobes. Pueden aplicarse a las piezas de arcilla antes del bizcochado (véase capítulo siguiente).

11. Engobes

Un engobe es una suspensión de arcilla en agua que se aplica sobre los objetos, generalmente para cambiar su color total o parcialmente. Cumplen, por tanto, la función de una cubierta.

En ocasiones se emplean engobes por razones técnicas, pero en la mayoría de los casos se trata de lograr con ellos efectos decorativos.

Para deshacer la confusión que a veces existe entre los términos "engobe" y "barbotina", baste decir que ambas cosas son suspensiones de arcilla en agua, pero "engobe" se aplica específicamente para describir una capa de arcilla líquida aplicada sobre una pieza cerámica, mientras que la barbotina puede intervenir en la construcción del objeto en sí, como por ejemplo en el procedimiento denominado "vaciado de barbotina" (véase página 67). Los engobes son barbotinas, pero no todas las barbotinas son engobes.

El empleo de engobes fue probablemente uno de los primeros sistemas adoptados por el hombre para colorear vasijas de arcilla. Y sin duda la invención de este sistema fue producto del descubrimiento de depósitos de arcillas secundarias que adquirían diferentes colores tras la cocción por contener diferentes impurezas. Muchos ceramistas sienten particular atracción por los engobes debido a la similitud que existe entre la composición de éstos y la de los cuerpos, lo que simplifica el procedimiento, y a la calidad y sutileza de sus colores naturales unida a la compatibilidad, tanto estética como técnica, de ambos materiales. Algunos ceramistas han logrado mediante el empleo de engobes efectos de una calidad y una espontaneidad muy difíciles de alcanzar con otras técnicas.

Las planchas de arcilla preparadas y decoradas con cualquiera de las técnicas siguientes pueden dejarse secar hasta alcanzar consistencia de cuero para ser formadas por los métodos descritos en el capítulo 7.

CUALIDADES

Por ser la arcilla su ingrediente básico, los engobes son siempre opacos a menos que sean aplicados en capas muy finas. Admiten prácticamente cualquier tonalidad, aunque tradicionalmente suelen pigmentarse en la gama de los colores terrosos de la arcilla. Tras la cocción, las superficies cubiertas con engobes producen el mismo efecto que las tratadas con un barniz denso, opaco y poco cocido. Su adaptabilidad al cuerpo es un punto de tanta importancia como en el caso de los barnices, y a este respecto es preciso aplicarlos estando todavía el cuerpo "verde" o con consistencia de cuero, con objeto de que ambos materiales tengan el mismo índice de encogimiento. Si fuera necesario aplicar un engobe sobre una pieza ya seca o incluso bizcochada, su preparación ha de hacerse con vistas a reducir su índice de encogimiento (véase fórmula más adelante). Los engobes que se adaptan a las arcillas bizcochadas son muy similares a los barnices mate, hasta el punto de llegar, en algunos casos, a vitrificarse con lo que adquieren algunas de las propiedades de las superficies barnizadas. A las temperaturas de cocción de la arcilla común, el tipo de barniz utilizado, bien sea alcalino o ácido, influye en el color resultante (véase página 146). Algunos engobes, particularmente los que contienen una elevada proporción (8 por ciento) de óxidos metálicos, cubiertos con barnices mates de gres, tienden a burbujear a través del barniz durante la cocción produciendo a veces unas texturas muy interesantes.

Los engobes pueden texturarse mediante la adición de chamota, arcilla refractaria u otro material similar finamente molido que soporte la temperatura de cocción, pero las texturas resultantes son inadecuadas para la fabricación de vajillas por su calidad áspera y poco aséptica.

Las cualidades esenciales que debe reunir un engobe son tres: (1) que su índice de encogimiento de secado sea igual al de la pieza sobre la cual va a aplicarse; (2) que se expansione y se contraiga en la misma medida que la pieza durante la cocción; y (3) que tenga el color y la textura que convengan.

Para que puedan darse las condiciones (1) y (2) es preciso que el engobe haya sido preparado con la misma arcilla que la pieza, y, si esto no fuera posible o deseable, habrá que comprobar experimentalmente su adaptabilidad.

Los engobes destinados a ser aplicados sobre arcilla cruda admiten muy diversas composiciones, desde arcilla al cien por cien, hasta arcilla, de China y pedernal a partes iguales; las proporciones exactas han de determinarse mediante experimentos.

Para piezas secas o bizcochadas: arcilla de China calcinada, arcilla, pedernal y frita de bórax a partes iguales.

Para gres seco o bizcochado: arcilla de China calcinada, arcilla, pedernal y feldespato a partes iguales.

En el caso de que el engobe se descascarille, hay que aumentar la proporción de arcilla de bola o utilizar arcilla de China sin calcinar, y si se cuartea, incrementar las proporciones de arcilla de China calcinada y pedernal.

APLICACIÓN

Antes de proceder a aplicar un engobe, hay que cerciorarse de que la estructura del objeto va a admitirlo, pues si ésta es excesivamente fina o delicada al absorber agua del engobe podría debilitarse hasta el punto de deformarse. Si se trata de cubrir por dentro y por fuera una forma hueca, suele aplicarse el engobe por el interior antes de acabar en el torno la

Dibujos con trazos de engobe.

pieza y afinarla hasta su grosor definitivo. Para decorar un cuenco de grandes dimensiones, lo que se hace con más frecuencia es dejarlo secar hasta que alcance consistencia de cuero después de aplicar el engobe por su interior, antes de proceder a aplicarlo por el exterior.

Las asas de tazas y jarras son muy propensas a deformarse al recibir el engobe, por lo que es preciso emplear sumo cuidado en su diseño, en la aplicación del engobe y en el secado para no echar a perder el trabajo de muchas horas. Este problema, en cambio, no se presenta cuando se trata con engobe una superficie ya bizcochada. Una consistencia apropiada es la resultante de mezclar a partes iguales arcilla y agua, aunque la de la nata líquida es un ejemplo orientativo más fiable.

Con casi todos los métodos de aplicación de engobes, si se comete algún error o no se obtienen los efectos pretendidos, cabe la posibilidad de limpiar la superficie del objeto con una esponja suave que ha de aclararse en agua repetidas veces. Conviene dejar secar la pieza de cuando en cuando para evitar que se reblandezca excesivamente y se deforme.

Inmersión

Se prepara el engobe y se pasa a través de una criba de malla 80 a un recipiente de un tamaño que admita la inmersión total de la pieza. Se sumerge ésta, total o parcialmente, en el engobe y a continuación, se extrae del recipinte y se deja escurrir antes de ponerla a secar.

Para decorar por este procedimiento una pieza hueca se suele llenar ésta primeramente hasta la tercera parte de su altura; a continuación se inclina en un ángulo de cuarenta y cinco grados y se va haciendo girar para que la barbotina bañe todo su interior. Una vez seca, se sumerge en posición invertida para cubrir la parte exterior, sin que se bañe el interior gracias a la presión del aire. Este sistema permite aplicar engobes de diferente color para el interior y el exterior.

(Página opuesta, arriba) Dibujos de engobe realizados con pluma de ave y con los dedos.

Vasija anglorromana: modelada y acabada en el torno, con dibujo en relieve realizado con barbotina de la misma arcilla; sin barnizar.

El método de inmersión puede utilizarse también para una aplicación parcial del engobe sobre la superficie de la pieza.

Trazos de engobe

La técnica es similar a la que se utiliza con la manga de repostería para adornar tartas. El engobe, que ha de tener la consistencia de la nata montada, se aplica sobre la superficie del objeto formando dibujos y líneas en relieve, por medio de una perilla especial provista de una boquilla. Al dibujar con engobe sobre superficies verticales hay que tener cuidado para que no se escurran los trazos o se formen goterones. La consistencia es un factor muy importante pues si es demasiado densa cuesta mucho trabajo obtener un flujo continuo del engobe y, en caso contrario, es imposible controlar el dibujo. Se debe colar la mezcla para eliminar los grumos que pudieran obturar la boquilla. Como para conseguir efectos delicados o complejos se necesita mucha destreza, conviene practicar sobre una placa de yeso limpia antes de aventurarse a hacer la decoración definitiva.

Los dibujos resultantes sobresalen ligeramente de la superficie de la arcilla y sus líneas suelen notarse al tacto como ribetes ondulados, incluso después de haber sido cubiertas por el barniz (véase página 100, fotografía inferior).

Efectos obtenidos con pluma de ave

(Página opuesta) Plato decorado con barbotina, de Char-Vyse, 1936; diámetro 19 cm. Barbotina difuminada con pluma de ave sobre arcilla color ante; moldeado a presión sobre molde convexo; barniz transparente de gres.

Este procedimiento es una variación del que acabamos de describir. La pieza, generalmente plana, se cubre en primer lugar con una capa fina de engobe, y, antes de que ésta se haya secado, se trazan líneas paralelas con un engobe más denso y de diferente color. A continuación, estando

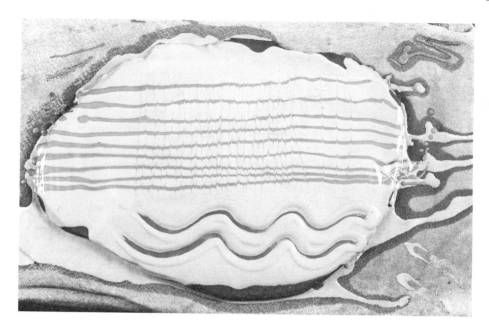

Detalle de una cenefa en un plato moldeado a presión.

la pieza en posición horizontal y sujeta a un tablero, se inclina éste hacia atrás y hacia adelante con el fin de que el engobe más espeso forme escurriduras sobre el más diluido, difuminándose los trazos. Se prepara seguidamente una pluma (las de ganso son especialmente apropiadas para esta técnica), suprimiéndole los pelos del extremo más fino con el fin de dejar al descubierto el cañón que, en esta zona, es sumamente flexible. Pasando éste perpendicularmente sobre las líneas paralelas del engobe más espeso pueden obtenerse dibujos muy delicados.

Marmolado

Se cubre la pieza con un engobe poco espeso y se vierte a continuación otro engobe de distinto color de forma irregular sobre parte de la superficie. Al sacudir la pieza o hacerla girar, los dos engobes se entremezclan formando un dibujo semejante al veteado del mármol. El resultado es siempre un tanto fortuito y a veces es necesario efectuar varios intentos antes de conseguir unos resultados satisfactorios.

Engobe embutido o a la encáustica

La superficie de las piezas, generalmente azulejos, destinadas a ser decoradas por este procedimiento, ya modelada o modelada con líneas o formas incisas, se cubre en primer lugar con engobe, y, a continuación, cuando éste ha alcanzado consistencia de cuero o incluso un mayor grado de sequedad, se limpia de modo que sólo queden cubiertas las partes rehundidas. Esta técnica, que parte de un objeto monocromo con relieves, produce finalmente una superficie plana bicolor. La decoración resultante, en el caso de los azulejos y las baldosas, es sumamente resistente al degaste. En las superficies texturadas, la decoración a la encáustica contribuye a realzar el efecto al aportar un contraste de color.

Plantillas

Marmolado obtenido con engobes.

Las plantillas de papel recortado se humedecen con agua para adaptarlas a la pieza. A continuación se aplica el engobe mediante pulveriza-

Baldosas medievales (siglo XIII)
del claustro de la abadía de
Titchfield (Hampshire), con
decoración a la encáustica.

Figura sudanesa del siglo X
representando a una hiena.
Modelada y decorada a mano, con
superficie texturada cubierta con
un engobe contrastante.

Esfera y cuenco de Irene Sims; realizados por vaciado con engobe vitrificado aplicado con plantillas sobre el bizcocho. La esfera está sin barnizar.

ción, vertido o a pincel, y cuando alcanza consistencia de cuero se retiran las plantillas.

Enmascaramiento con cera

Consiste esta técnica en aplicar cera o una emulsión de cera sobre la arcilla y verter a continuación el engobe sobre toda la pieza, que resbala sobre las zonas enmascaradas con cera. Si el engobe se aplica por pulverización las diminutas gotas tienden a quedar adheridas a la cera.

Esgrafiado

Después de cubrir con engobe la superficie de la pieza se puede eliminar en parte la cubierta dibujando sobre ella o raspándola con un punzón de madera o bambú para dejar al descubierto la arcilla de debajo. Con este sistema se logran a veces efectos sumamente delicados. La calidad de los trazos depende del tipo de instrumento utilizado y del estado de sequedad tanto del engobe como de la arcilla.

También se realiza con frecuencia el procedimiento inverso que consiste exactamente en grabar o texturar la superficie de la arcilla y rellenar con engobe las incisiones. Una vez seco el objeto se limpia la superficie con el fin de que las líneas incisas abiertas de engobe destaquen con precisión.

La *terra sigillata* es un tipo de engobe que fue muy utilizado para la decoración de piezas cerámicas en la época griega y romana. Se caracteriza por una superficie bruñida, generalmente en colores marrón rojizo y negro. El engobe está constituido por partículas de arcilla finísimas que se

Jarrón de los hermanos Martin, finales del siglo XIX. La pieza, modelada en el torno, está pintada con una capa fina de barbotina azul y el dibujo, esgrafiado, ha sido rellenado con óxido de hierro. Barniz transparente de gres cocido con vidriado de sal.

obtienen preparando una suspensión clara de arcilla y agua, dejándola reposar durante dos o tres días y decantando a continuación el agua de la superficie. De la mezcla restante se aprovecha sólo el tercio superior que se extrae con un sifón. El engobe resultante, una vez aplicado sobre las piezas, puede bruñirse con una herramienta de pulir, pero no admite una cocción a temperaturas superiores a los 950 °C, ya que a partir de esto pierde su brillo.

12. Secado y bizcochado

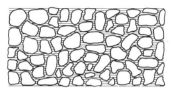

Arcilla seca

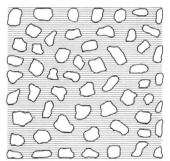

Arcilla húmeda

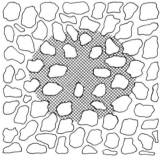

Agua retenida

El agua en la arcilla.

Todas las arcillas que emplea el alfarero o ceramista contienen agua, en parte mezclada con las partículas y en parte formando combinación química con ellas ya que interviene en su composición.

Si la arcilla se deja expuesta al aire a temperatura ambiente empieza a secarse. lo que se manifiesta en un endurecimiento y un cambio de color, que se aclara paulatinamente. Ello se debe a la evaporación de parte del agua que la arcilla contiene. Por esta razón, dada la alteración que el aire provoca sobre el material, si se desea conservar éste húmedo es preciso rodearlo de aire húmedo. También es importante la temperatura del ambiente, ya que a mayor calor más rápida es la deshidratación.

Una masa de arcilla se compone de partículas situadas unas junto a otras, pero con intersticios a través de los cuales circula el aire. Estos intersticios, o "capilares" que es como se denominan, se encuentran llenos de agua mientras la arcilla está húmeda; durante el secado este agua se evapora. Una masa de arcilla sin bizcochar, por dura y reseca que parezca, siempre contiene una buena cantidad de agua, sobre todo en su interior, y es que resulta imposible suprimir por completo el agua mezclada con las partículas de arcilla sin un aumento de la temperatura.

El secado va acompañado de un encogimiento de la masa de arcilla.

En los talleres artesanales, las piezas se dejan secar simplemente al aire, aunque es conveniente trasladar las muy gruesas o voluminosas al cabo de un par de días a una zona más cálida. El tiempo de secado debe ser el suficiente para que la humedad se evapore uniformemente, y nunca conviene intentar acortarlo exponiendo las piezas al calor de un horno o del sol de tal modo que se calienten irregularmente sus caras, ya que se deformaría al producirse el encogimiento de las partes sometidas a mayor temperatura. Lo mismo ocurre cuando se dejan las piezas en zonas con corrientes de aire, como por ejemplo en las inmediaciones de una puerta o ventana, pues los lados más expuestos tenderán a secarse antes que los demás. Si las citadas condiciones fueran inevitables se debe dar la vuelta periódicamente a las piezas para lograr que el encogimiento y el secado se produzcan con la mayor uniformidad que sea posible.

Debido a las considerables tensiones que se originan en el interior de la arcilla, si el secado se efectúa de forma irregular, las piezas pueden llegar a rajarse. Así, por ejemplo, si una pieza gruesa se hace secar en un tiempo excesivamente corto, su capa externa encoge y se agrieta porque su superficie es menor que la de la capa interna, en la que todavía no se ha producido el encogimiento.

Debido a esto es aconsejable utilizar arcilla gruesa para la confección de piezas voluminosas, ya que se seca más fácilmente al ser sus capilares más anchos.

El agua combinada químicamente con la arcilla sólo se desprende a partir de los 350 ºC si bien la temperatura exacta es variable según los minerales que el material contenga. No obstante, se considera generalmente que la mayor parte de este agua desaparece a los 550 ºC, siempre que el ritmo del incremento de la temperatura no haya superado los 100 ºC a la hora.

Una vez que la arcilla se ha secado es sumamente frágil y debe manipularse con extremadas precauciones. Mientras que en lo que respecta al agua combinada químicamente, ésta es irreemplazable y, una vez que se evapora, la arcilla no vuelve a recuperar la plasticidad por mucha agua que se le añada.

Durante el proceso de secado, uno de los defectos que con mayor frecuencia se producen en el enconchamiento, y dado que es debido a una deshidratación irregular, es importante voltear de vez en cuando todas aquellas piezas que sean propensas a secarse antes por unas partes que por otras, como ocurre particularmente con los azulejos, las baldosas, las planchas y los objetos vaciados o modelados en el torno de paredes muy finas.

Otro defecto corriente es el agrietamiento, que suele deberse a la conjunción de dos arcillas con distintos grados de humedad o con capilares de diferentes tamaños (de modo que una seca antes que la otra). Las grietas finas se rellenan con arcilla de las zonas adyacentes, y las más gruesas con arcilla seca, semejante a la empleada para confeccionar la pieza en cuestión. Para rellenar grietas muy profundas, debe prepararse una mezcla de arcilla seca, arena y chamota con un poco de agua para aglutinarla. La arcilla húmeda resulta inadecuada para tapar estos defectos en piezas ya secas, porque al secarse y encoger produce otras grietas adicionales.

Un horno cargado y listo para el bizcochado.

ESTIBA DEL HORNO Y BIZCOCHADO

Una vez seca la arcilla se introducen las piezas en el horno para ser bizcochadas. Esta primera cocción tiene por objeto endurecer el material para que admita mejor el barniz. Pero no todos los objetos de cerámica se bizcochan, siendo las principales excepciones la loza sanitaria (que se cuece a alta temperatura), la cerámica vidriada a la sal y los ladrillos. Por regla general el bizcochado se efectúa a temperaturas inferiores a las de cocción de los barnices, exceptuando la porcelana de huesos, aunque es preciso que el cuerpo alcance la temperatura de maduración en uno de ambos procesos. Como la porcelana de huesos se reblandece durante la cochura, resulta más económico cocerla a la mayor temperatura a la que ha de ser sometida antes de gastar tiempo y dinero en decorarla y barnizarla.

Exceptuando las confeccionadas con esta porcelana, las piezas que van a ser bizcochadas pueden tocarse unas a otras dentro del horno sin riesgo de que se adhieran. Incluso, si se trata de formas lo suficientemente robustas es posible encajar unas dentro de otras o apilarlas. No

115

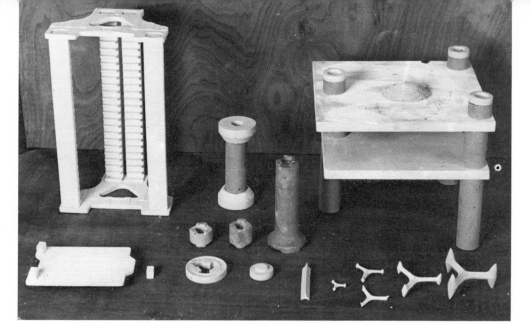

Diversos tipos de enseres para la colocación de las piezas en el interior del horno. Los cinco caballitos triangulares y la barra triangular (abajo, a la derecha) se utilizan para sostener los objetos barnizados impidiendo que el barniz quede adherido a los estantes.

obstante, al producirse el encogimiento consiguiente al secado, se corre el riesgo de que alguna pieza quede encerrada dentro de otra si no se ha dejado suficiente espacio entre ambas.

Siempre que sea necesario se utilizarán los estantes y puntales que convengan. Por regla general cada estante queda perfectamente fijo y estable con tres puntales.

Como la temperatura de bizcochado varía para las diferentes arcillas, y con objeto de no correr riesgos innecesarios, es conveniente no incluir en una misma hornada piezas elaboradas con distintos materiales. (La temperatura exacta de bizcochado de cada cuerpo puede consultarse al proveedor o ser determinada mediante experimentos). Como norma general, la mayoría de las pastas blandas se cuecen entre los 1.000 y los 1.140 °C ; siendo las arcillas rojas las que menos calor precisan y los cuerpos blancos los que han de cocerse a mayores temperaturas. En la mayoría de los talleres se suele emplear una temperatura media fija (normalmente a 1.050 °C).

Una vez cargado el horno (lo que implica colocar simplemente las piezas del modo que más económico resulte), se retira el tapón de ventilación, situado en la parte superior, para que éste pueda ser ventilado mientras se produce el calentamiento inicial de la arcilla. A continuación se procede a calentar el horno muy lentamente (interruptor en el punto 20; conmutador de tres vías en posición "bajo"; quemadores de gas al 20 por ciento de su potencia calorífica máxima) con el fin de dar lugar a que se evapore cualquier resto de humedad que todavía pudieran tener las piezas. Lógicamente, éstas deberán ser calentadas tanto más despacio cuanto más gruesas sean, y por la misma razón también deben someterse a un calentamiento inicial muy lento los objetos que tengan texturas muy finas. Es casi imposible dar cifras exactas relativas a tiempos y ritmos de incremento de las temperaturas, ya que estos factores pueden variar en cada cochura. No obstante, a modo de orientación, el horno debe calentarse desde la temperatura ambiente hasta los 500 °C en un periodo de seis horas, tiempo este que puede reducirse a cinco horas para el bizcochado de piezas modeladas en el torno con algo de arena en su composición. En cualquier caso el ritmo de incremento de la temperatura debe ser más lento en las etapas iniciales.

Es durante esta fase del bizcochado cuando desaparece el resto de agua mezclada con la arcilla, y si las temperaturas ascienden con demasiada rapidez, el excesivo calor que alcanza el vapor resultante genera tal presión en el interior de la arcilla que puede provocar el estallido de las piezas. Cuando la arcilla alcanza los 300°C ya no contiene nada de agua en su mezcla, aunque la conbinada químicamente no desaparece por completo hasta los 500 °C, así que mientras no se alcanza esta temperatura sigue generándose en el interior del horno una cierta cantidad de vapor que busca la salida al exterior incluso aunque el tapón no haya sido retirado. Esto no supone un problema en los hornos dotados de tiro, siempre que no sean de mufla, pero los eléctricos suelen llevar un revestimiento metálico que puede resultar seriamente deteriorado por corrosión si el vapor no tiene otra vía de escape que los resquicios de la puerta. Para reducir al mínimo este riesgo de corrosión es preciso retirar siempre el tapón al principio de todas las cochuras y no colocarlo de nuevo hasta después de superar los 500 °C aproximadamente.

En cuanto la temperatura haya sobrepasado los 700 °C se puede incrementar el ritmo de la cocción (por ejemplo: interruptor temporizado en posición de 100 °C, conmutador de tres vías en posición "alto" y quemadores de gas al máximo) para mentener una subida de 100 °C por hora, incremento este que debe continuar hasta que la arcilla haya alcanzado la temperatura deseada.

Enfriamiento

Normalmente todo horno suele enfriarse por sí solo a un ritmo conveniente con sólo cortarle el suministro de energía. Es probable que el descenso de la temperatura resulte un poco rápido en las etapas iniciales, pero esto carece de importancia en el bizcochado.

Una vez que la temperatura haya bajado a 600 °C y hasta que alcance los 500 °C, el enfriamiento debe producirse lenta y uniformemente y, como es lógico, el horno debe estar concebido de tal forma que esto sea posible.

Desde los 500 °C, se dejará que éste se enfríe a su propio ritmo hasta los 100 °C, temperatura esta a partir de la cual puede abrirse un poco la puerta para introducir una ligera corriente y acelerar el proceso que, en esta etapa, suele ser muy lento. Las rajas y grietas en las piezas pueden deberse a un enfriamiento excesivamente rápido del bizcochado, especialmente entre los 600 y los 500 °C, y estos defectos pueden no manifestarse hasta después de aplicado y cocido el barniz.

CAMBIOS QUE SE PRODUCEN EN LA ARCILLA DURANTE EL BIZCOCHADO

La primera modificación que se produce durante la cocción es la evaporación del agua mezclada con las partículas de arcilla, y va acompañada de la combustión de cualquier materia vegetal que pudiera estar presente en el cuerpo o en la pieza. La siguiente consiste en la desaparición del agua combinada químicamente, y las restantes son las que afectan a los minerales que intervienen en la composición de la arcilla. Todas las arcillas contienen sílice libre en forma de arena, cuarzo o pedernal, y los cristales de sílice cambian de forma y modifican su volumen a determinadas temperaturas. Algunos de estos cambios son permanentes (conversiones), y otros reversibles (inversiones).

CAMBIOS EN LA SÍLICE CON EL CALENTAMIENTO

573 °C   La sílice libre se invierte formando cuarzo beta y se expansiona instantáneamente un uno por ciento.

870 °C   El cuarzo beta empieza a convertirse en cristobalita beta y tridimita beta, que ocupan un volumen un dieciséis por ciento mayor que el cuarzo.

CAMBIOS EN LA SÍLICE CON EL ENFRIAMIENTO

870 °C   Cesa la conversión la cristobalita y tridimita.

573 °C   El cuarzo beta se invierte formando cuarzo alfa y se contrae instantáneamente un uno por ciento.

220 °C   La cristobalita beta se invierte formando cristobalita alfa y se contrae instantáneamente un tres por ciento.

163 a 117 °C   La tridimita beta se invierte formando tridimita alfa y se contrae instantáneamente un uno por ciento.

A partir de los 870 °C cuanto mayor es la temperatura a la que se somete la arcilla, mayor es la proporción de cristobalita y tridimita que contiene ésta al enfriarse, con lo que la mayor parte de la sílice libre adopta la forma de cristobalita y tridimita si ha sido sometida como mínimo a 1.250 °C y se mantiene esta temperatura el tiempo suficiente, que puede ser de varias semanas. La mayor parte de los objetos de cerámica que se fabrican en talleres artesanales contienen al ser bizcochados un 10 por ciento aproximadamente de la sílice en forma de cristobalita y rara vez se encuentra en ellos tridimita. Después del bizcochado, la cristobalita y la tridimita se invierten y se expansionan en la misma proporción si se vuelven a calentar por encima de sus puntos de inversión.

Los otros minerales contenidos en la arcilla también sufren alteraciones aunque no tan acentuadas. Estas alteraciones pueden ser clasificadas en dos grupos; las que tienen lugar por debajo de los 800 °C y las que se producen por encima de esta temperatura. Las primeras consisten principalmente en la liberación de los gases resultantes de los cambios que experimentan los minerales y deben originarse estando el horno bien ventilado. Las segundas tienen lugar cuando, por encima de los 800 °C, los álcalis de la arcilla actúan sobre la sílice y la alúmina formando una red de cristales (muleita) y vidrio que amalgama el material no disuelto formando una masa compacta. Este último proceso rara vez se completa en el bizcochado de puntos blandos.

Cuando la arcilla alcanza los 1.300 °C tienen lugar varios cambios. El más señalado de ellos es que al enfriarse nuevamente su dureza ha aumentado y además, en la mayoría de los casos, el material se habrá vuelto impermeable al agua; en tal caso se dice que está "vitrificado", lo que implica el que una elevada proporción de la arcilla se ha fundido, dando lugar a diversas combinaciones denominadas "aluminosilicatos". Los materiales que no se han fundido poseen estructura cristalina y quedan suspendidos en el vidrio. Un efecto colateral de esta fusión consiste en que se rellenan todos los espacios que separan las partículas no disueltas y de ello resulta un encogimiento global de la pieza. El encogimiento es directamente proporcional a la temperatura de la cocción, mientras que la porosidad de la pieza terminada es inversamente proporcional a la misma. Además, a mayores temperaturas mayores son también los grados de contracción y expansión en sucesivos procesos de enfriamiento o calentamiento, ya que se producen cambios de forma y volumen en la sílice libre.

Las arcillas que no se vitrifican a no ser que se sometan a una temperatura considerablemente elevada (alrededor de 1.300 °C) se denominan "refractarias". Las llamadas propiamente "arcillas refractarias" y las que admiten temperaturas de gres son más refractarias que las que sólo admiten la temperatura de cocción de la arcilla roja común. Cualquier arcilla puede fundirse si se la somete a la suficiente cantidad de calor, pero lo ideal es cocer cada una hasta el punto máximo en el que se vitrifica sin deformarse. En la práctica, la vitrificación no puede completarse sin que se produzca enconchamiento y las reacciones de los minerales susceptibles de fundirse se interrumpen en el punto en el que el objeto alcanza la máxima dureza sin que su forma se altere.

En el bizcochado pueden cometerse dos tipos de errores:

Cocción demasiado rápida. Las piezas de arcilla pueden estallar y en su superficie se observan grietas y protuberancias como si se hubiera producido una pequeña explosión en el interior de las paredes. Todo ello se debe a no haber dejado tiempo suficiente para que se evapore el agua mezclada con la arcilla.

Enfriamiento demasiado rápido. Como ya se ha explicado en la descripción de las inversiones de la sílice, existen varios puntos en los que las piezas experimentan cambios súbitos de volumen. Si una de las caras se calienta más que las demás, la pieza puede rajarse al producirse un cambio de volumen en una parte mientras la otra permanece inalterada. Es preciso conceder el suficiente tiempo para que estos cambios se produzcan lo más lenta y uniformemente que sea posible para evitar que las piezas estallen. No obstante, este accidente no suele producirse si no se descarga el horno antes de que la temperatura de su interior haya descendido hasta los 100 °C.

Piezas estalladas durante el bizcochado por haber dejado accidentalmente el interruptor temporizado en la posición 100.

Cuenco inglés de porcelana de Liverpool. Obtenido por vaciado y pintado con óxido de cobalto sobre arcilla blanca bajo un barniz transparente de porcelana.

Salsera inglesa de Staffordshire, del siglo XVIII. Obtenida por vaciado y, coloreada con óxidos aplicados con una esponja.

13 Modificación de la superficie después del bizcochado

Por muy diversas razones, los diferentes procedimientos decorativos que pueden llevarse a cabo antes del bizcochado suelen resultar insuficientes. En la producción industrial, por ejemplo, no interesa invertir tiempo y trabajo en decorar unos artículos que están expuestos a agrietarse, estallar o deformarse durante la primera cocción. En el trabajo artesanal se observa con frecuencia que el bizcochado saca a la luz defectos de diseño o manufactura que en su momento pasan desapercibidos, y, asimismo, que cualquier material (o combinaciones de materiales) que se emplea por primera vez puede adquirir unas características insospechadas después de salir del horno. Por otra parte, el imperativo económico de cargar éste hasta donde se pueda implica a veces la necesidad de bizcochar muchos objetos que no se han decorado por falta de tiempo, e igual ocurre con piezas tan sumamente frágiles que hasta después de cocidas apenas se pueden manipular sin riesgo de deterioro. El caso es el mismo cuando se trata de artículos que han de ser manipulados por personas poco diestras o no familiarizadas con la enorme fragilidad de la arcilla seca sin cocer.

Exceptuando la porcelana de huesos, el resto de las arcillas bizcochadas conservan la suficiente porosidad para seguir absorbiendo agua, cualidad esta que resulta imprescindible si se quiere después aplicar el barniz sin dificultad. Las superficies porosas se decoran fácilmente pintándolas con óxidos, aunque como las pinceladas tienden a notarse después de la cocción es preciso manejar el pincel con mucho cuidado para no hacer marcas o texturas indeseadas. Al igual que para la decoración de la arcilla, los pinceles han de ser de buena calidad si se pretende obtener buenos resultados.

Tanto los óxidos como los colores comerciales tienden a mezclarse con el barniz cuando se aplica éste, y si se barnizan los objetos por immersión, se corre el riesgo de que alguna partícula de pigmento se incorpore a la solución de barniz contaminándola. Por esta razón se suele utilizar algún tipo de goma (generalmente goma arábiga diluida en agua) como aglutinante del pigmento con el fin de que la pintura quede mejor adherida a la pieza. Los óxidos sin un aglutinante de goma se deterioran además muy fácilmente si no se manipulan con cuidado. En contrapartida, el uso de goma tiene la desventaja de restar porosidad a la zona tratada, con lo que es preciso extremar las precauciones al aplicar el barniz a fin de conseguir la densidad y uniformidad adecuadas. A veces

Tetera confeccionada por Elers a finales del siglo XVII. Moldeada, con relieves aplicados y cocida a alta temperatura sin barniz.

es necesario cocer de nuevo el bizcocho pintado hasta los 850 °C para eliminar la goma y adherir el óxido a la arcilla.

Aparte de la pintura directa existe otra técnica de aplicación de color mediante una pistola pulverizadora, en cabina extractora, con la que se obtienen franjas, zonas difuminadas y efectos multicolores con degradados. Esta técnica puede utilizarse en conjunción con plantillas de papel y otras superficies perforadas.

Inmediatamente después de aplicar el color se puede continuar la decoración raspando o arañando la superficie con un palito afilado, aunque la textura resultante es mucho menos acentuada que cuando se emplea este mismo procedimiento sobre arcilla no bizcochada.

ENGOBES

Sobre una superficie ya bizcochada pueden aplicarse engobes siempre que su composición sea la adecuada; en la página 106 se da una fórmula apropiada para decorar bizcochos. El espesor de la capa de engobe, cuando éste se aplica por inmersión (véase página 107) o por vertido (véase página 154), dependerá de la porosidad del bizcocho y de la viscosidad de la solución.

Los engobes pueden aplicarse también a pistola sobre arcilla bizcochada, pero en tal caso la solución debe ser bastante líquida para ir aumentando el espesor de la cubierta mediante sucesivas aplicaciones, dejando secar cada una de ellas antes de aplicar la siguiente si fuera necesario. También aquí resultan muy útiles las plantillas perforadas y, siempre que se empleen sin tocar la superficie de la arcilla, cabe la posibilidad de utilizar diversos colores sin necesidad de cocer el objeto después de cada aplicación. El engobe sin cocer queda muy débilmente adherido al bizcocho y si la plantilla lo toca es muy fácil que la delicada capa se agriete o incluso se desprenda dejando al descubierto la arcilla desnuda. Este defecto es muy difícil de reparar.

La pistola permite conseguir varios tipos de textura. Sosteniéndola a unos sesenta centímetros de la superficie a tratar se obtiene una pulverización sumamente fina, pues a esta distancia las partículas más gruesas pierden impulso y caen antes de alcanzar la superficie de la pieza.

Si se mantiene cerca de la pieza mientras se hace girar ésta en la rueda, se obtiene una textura irregular, compuesta de partículas diferenciadas, algunas de las cuales pueden llegar a ser relativamente gruesas.

DESBASTADO

En caso necesario, si una pieza es demasiado frágil en verde o en seco habrá que alisarla por el procedimiento de desbastado, y lo mismo suele hacerse con las formas geométricas que no han podido modelarse con la precisión suficiente antes del bizcochado. Esta técnica se emplea con mucha frecuencia en la fabricación de piezas de porcelana para la industria eléctrica, en las que la precisión, tanto en las dimensiones como en la forma, resulta un factor de extremada importancia.

Existen diferentes sistemas para desbastar artículos de cerámica, desde el simple bloque de alúmina (fácilmente asequible para el artesano), hasta la rueda de diamante. En caso necesario, un torno de alfarero puede transformarse en una rueda de lápida con sólo acoplar a la caseta un disco de carborundo. En toda operación de talla o desbastado es importantísimo comprobar que la herramienta elegida no altere el color ni deje marcas en la arcilla. Cualquier aspereza que se observe en una pieza bizcochada puede eliminarse con papel de lija.

14. Barnices

La cerámica ha sido descrita como el arte de las reacciones interrumpidas y en ningún aspecto resulta esta descripción tan acertada como en el caso de los barnices.

Un barniz es un tipo de vidrio constituido de tal forma que, al ser aplicado sobre una forma de arcilla y sometido a suficiente temperatura, se funde sin fundir la arcilla, y, al enfriarse, lo hace con un grado de expansión térmica semejante al de ésta. De hecho se comprende que así sea, puesto que los ingredientes del vidrio están también presentes, en diferentes proporciones, en la propia arcilla. La similitud entre la arcilla y el barniz es tanto mayor cuanto más elevadas son las temperaturas a las que tiene lugar la reacción.

Tetera de D. Hamilton. Cuerpo, pitorro y tapa modelados en el torno, lengüetas y tirador modelados a mano, barniz mate o blanco de gres aplicado con aerógrafo. Asa de aluminio y plexiglás.

Cuenco de S. Hamada, 1927. Diámetro 20 cm. Modelado con torno con dibujo grabado, barnizado con barniz agrietado verdeceledón claro.

Vasija de S. Hamada, 1927. Altura 26 cm. Modelada con torno y decorada con barniz de gres negro de hierro y pintura sobre barniz de óxido de hierro.

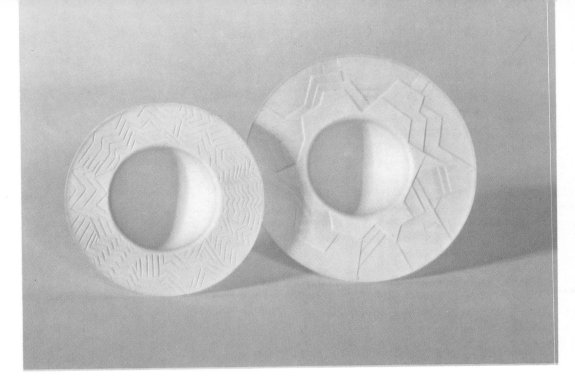

Dos cuencos de J. Poncelet.
Vaciado de barbotina en capas
blanca y azul con decoración
esgrafiada, sin barniz.

La danza del pastor. Cuando de
T.S. Haile, 1937. Diámetro 32
cm. Modelado en el torno con
arcilla gruesa, y pintado con
óxidos bajo un claro barniz
verdeceledón.

Como ya hemos visto (página 24), la arcilla se compone en gran parte de alúmina y sílice bajo diversas formas. En los barnices, la sílice es el material formador de vidrio, mientras que la alúmina y los demás ingredientes actúan sobre ella para producir el barniz. Como es lógico, si la temperatura a la que se efectúa esta reacción es demasiado elevada, la pieza puede deformarse, de ahí que haya que introducir un tercer elemento susceptible de provocar una reacción similar, pero dentro de una escala de temperaturas aceptable. Las diferentes sustancias que tienen la propiedad de actuar de este modo se denominan "fundentes". Si se utiliza más de un fundente puede producirse una reacción "eutéctica" que tiene por efecto disminuir adicionalmente la temperatura a la que se funden los materiales (o reducir la cantidad de fundente necesaria para producir la fusión a la misma temperatura).

REACCIONES EUTÉCTICAS

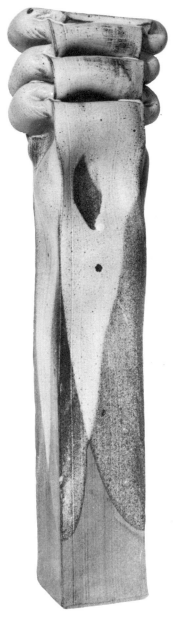

MATERIAL/MEZCLA		PUNTO DE FUSIÓN
óxido de plomo	solo	876 °C
sílice	sola	1.710 °C
óxido bórico	solo	294 °C
óxido de plomo sílice	94 % 6 %	526 °C
óxido de plomo sílice	60 % 40 %	661 °C
óxido de plomo óxido bórico	88 % 12 %	493 °C
óxido de plomo óxido bórico	61 % 39 %	768 °C

Los barnices son polvos que se diluyen en agua simplemente para facilitar su aplicación, pues el agua no desempeña ningún papel en la fusibilidad de los componentes del barniz, a menos que entre éstos haya muchos minerales solubles. El barniz atraviesa diversas fases hasta que finalmente forma una capa líquida sobre la arcilla:

(a) El barniz se seca deshidratándose por encima de los 500 °C.
(b) Cualquier carbonato o sulfuro combinado con 'los materiales formadores de vidrio desprende gases en varias etapas del calentamiento.
(c) Los materiales se endurecen y se aglutinan entre sí (y con la arcilla) varios cientos de grados antes de alcanzar la temperatura de fusión final.

Columna extruida y plegada, de D. Hamilton. Cuerpo con hierro en su composición, con base obtenida con planchas, decorado mediante vertido de barniz blanco mate en manchas superpuestas. El hierro del cuerpo es visible a través del barniz en las zonas donde la cubierta es delgada.

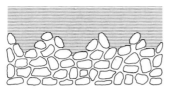

Arcilla común

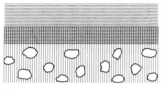

Gres

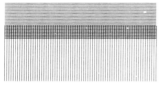

Porcelana

Superficie de contacto entre la arcilla y el barniz.

(*d*) El material aglutinado se reblandece gradualmente a 200 ó 300 °C por debajo de la temperatura final.

(*e*) Los materiales fusibles hierven, a diferentes grados según los ingredientes, antes de licuarse.

Al mismo tiempo, la arcilla con que está formada la pieza experimenta otros cambios (véase página 117).

Cuando cesa el calentamiento del barniz, el líquido empieza a endurecerse, pero este cambio se produce gradualmente. En estado líquido el barniz se adapta a la superficie de la arcilla, y, a medida que tanto el barniz como la arcilla van enfriándose, el primero se endurece y ambos encogen. Incluso estando ya el barniz muy duro en apariencia, continúa expansionándose o contrayéndose, dentro de ciertos límites, para adaptarse a la arcilla. Pero si la expansión térmica de ambos materiales es demasiado dispareja se producen defectos en el barniz (véase página 138).

Éste se mantiene unido a la arcilla no sólo por su adherencia, sino también, y sobe todo, porque traspasa la superficie penetrando por algunos de los poros abiertos. Cuando se observa la sección de una pieza de arcilla roja común puede apreciarse una línea definida de separación entre los dos materiales. Si la pieza es de gres, la línea de separación es ya más difusa, y en el caso de la porcelana auténtica, la fusión es tan compleja que no existe línea alguna de demarcación entre el barniz y la arcilla. El desarrollo de esta ligazón es de suma importancia para obtener un barnizado liso y permanente, y si no se produce debidamente, pueden aparecer defectos, particularmente irregularidad de la cubierta (véase página 140).

Todas las reacciones anteriores requieren tiempo y calor para completarse satisfactoriamente, y el único método existente para medir la correcta relación entre tiempos y temperaturas estriba en el empleo de conos pirométricos (véase página 41), si bien la mayoría de los barnices admiten tan amplia gama de temperaturas de cocción que otros sistemas de medición pueden también proporcionar resultados aceptables.

De esta explicación se hace evidente que son muchas las reacciones que tienen lugar durante la cocción de un barniz y que la naturaleza de las condiciones que se producen en el horno pueden igualmente tener influencia (véase capítulo 17).

INGREDIENTES DE LOS BARNICES

Sería posible preparar barnices partiendo de sustancias químicas puras y refinadas, pero aparte de las desventajas económicas que esto supondría, es posible que las mezclas así obtenidas no produjeran los resultados apetecidos. En cambio, existen muchos minerales en cuya composición intervienen uno o más elementos adecuados para la composición de un barniz y éstos son, más que las sustancias químicas puras, los que normalmente figuran en las fórmulas de los barnices.

Las que se incluyen en la página 178 pueden utilizarse como base para experimentar con tipos de superficies y colores. (La pigmentación de los barnices ocupa el tema del próximo capítulo.) Conviene recordar que durante siglos los ceramistas han obtenido superficies barnizadas de gran belleza aun careciendo de la ayuda del análisis químico. Para obtener una amplia gama de posibilidades a este respecto basta experimentar partiendo de la descripción de las propiedades de los diversos minerales.

Como ya hemos visto, la mayoría de los barnices se componen de sílice, alúmina y fundentes. Como norma general se debe tener en cuenta que cuanto mayor sea la cantidad de alúmina, y sobre todo de sílice, que se emplee, más elevada será la temperatura de cocción del barniz. Ambos elementos se obtienen a partir de los minerales de arcilla y del pedernal, mientras que los fundentes provienen de una gran variedad de compuestos minerales.

Fundentes

Los siguientes compuestos son fundentes activos para barnices siempre que se sometan a las temperaturas indicadas. Si se añade un fundente de alta temperatura a un barniz de baja temperatura, aquél resulta poco activo, y en tal caso, si el fundente se emplea en cantidad suficiente, el barniz resultante puede presentar un aspecto mate y poco cocido.

| | ESCALA DE TEMPERATURAS (ºC) | | | | EXPANSIÓN |
	MÍN.	MÁX.	TÓXICO	SOLUBLE	TÉRMICA
óxido de plomo	800	1.180	sí	algo	baja
óxido de potasio	900	1.400	no	sí	elevada
óxido de sodio	850	1.400	no	sí	elevada
óxido bórico	800	1.400	no	sí	muy baja
óxido de zinc	1.050	1.400	sí	no	baja
óxido de calcio	1.100	1.400	no	no	media
óxido de bario	1.150	1.400	sí	no	media
óxido de magnesio	1.150	1.400	no	no	muy baja

La elección de un fundente para un barniz a una temperatura dada depende del tipo de color y superficie que se quieran obtener, así como de la temperatura a la que se pretenda cocer el barniz.

Casi todos los barnices en cuya composición intervienen fundentes con un índice elevado de expansión térmica se cuartean (véase página 133) sobre la mayor parte de las arcillas, si bien permiten la obtención de colores imposibles de conseguir con otros fundentes.

Fritas

Algunos materiales se obtienen comúnmente en forma de frita si su principal elemento constitutivo es soluble. Los materiales solubles resultan difíciles de manipular al mezclarlos con otros ingredientes de los barnices y con agua, debido a que tienden a cristalizarse, cosa que dificulta la aplicación uniforme de los ingredientes sobre la pieza. La frita, en la que el elemento requerido suele combinarse con sílice (ésta es imprescindible en todo barniz), se prepara fundiendo los ingredientes en un hornillo. Después, se deja enfriar y se tritura hasta reducirla a un polvo fino que es insoluble y no tóxico.

Las fritas se emplean con frecuencia en los barnices de baja temperatura (hasta los 1.140 °C), pero a partir de esta temperatura se sustituyen por minerales siempre que es posible. En muchos de éstos se combinan el sílice y los fundentes a modo de fritas naturales. Las fritas que suelen emplearse cuando el elemento deseado es soluble son alcalinas, y contienen potasio, sodio y bórax. El plomo se emplea en forma de frita.

Ya que en su estado natural es tóxico, de ahí que resulte peligroso su uso en el taller. Las fritas de plomo poco solubles contienen bórax y plomo.

Características y efectos de diversos elementos fundentes:

Bario, tóxico: Fundente secundario en barnices de baja temperatura. Fundente ligero en barnices de alta temperatura. Se utiliza para obtener barnices mates o poco brillantes, siempre que no esté presente el óxido bórico. *Color:* favorece la obtención de los barnices azul-cobre.

Boro: Fundente activo a todas las temperaturas. Se utiliza en forma de frita porque es soluble. Normalmente produce barnices con escasa propensión a cuartearse. En combinación con el plomo, el bórax permite la obtención de un tipo de barniz comercial resistente al desgaste y poco problemático para empleo a bajas temperaturas. *Color:* acentúa los colores pero puede producir moteados. En combinación con hierro puede producir barnices opalescentes. Facilita la obtención del azul turquesa a partir del cobre.

Calcio: Fundente secundario en barnices de baja temperatura. Fundente principal en barnices de alta temperatura, aunque no suele utilizarse solo. Incrementa la resistencia al desgaste del barniz. *Color:* facilita la obtención del verdeceledón.

Plomo, tóxico: Fundente de baja temperatura que empieza a vaporizarse a 1.170 °C. Produce barnices no problemáticos y poco propensos a cuartearse. Debe cocerse en condiciones de oxidación o neutras. Compone barnices lustrosos. Suele emplearse en forma de frita por su toxicidad, ya que en estado natural es fácilmente absorbido por la corriente sanguínea. Además, algunos barnices de plomo que contienen este elemento en estado natural depositan peligrosas, aunque pequeñas, cantidades de plomo en las bebidas y alimentos ácidos. *Color:* permite la obtención de una amplia variedad de colores, pero no debe utilizarse en conjunción con cobre para barnizar loza de mesa, porque este elemento incrementa ostensiblemente la solubilidad del plomo del barniz.

Magnesio: Fundente de alta temperatura, pero debe utilizarse preferentemente con otro fundente por lo menos. Empleado en exceso puede producir irregularidades en la cubierta. *Color:* tiende a producir violeta o rojo a partir del cobalto a temperaturas muy elevadas.

Potasio: Un poderoso fundente alcalino a todas las temperaturas; similar al sodio en muchos aspectos, y a menudo combinado con éste en fritas alcalinas. Produce barnices salinados con tendencia a cuartearse.

Color: semejante al sodio, pero facilita la obtención de azules y violetas con manganeso.

Sodio: Poderoso fundente a todas las temperaturas. Se utiliza en forma de frita porque es soluble. Produce barnices poco resistentes al desgaste y con tendencia a cuartearse. *Color*: facilita la obtención de colores vivos, así como la del turquesa con cobre y del rojo violáceo con manganeso.

Zinc, tóxico: Se utiliza para producir barnices mates criptocristalinos a bajas temperaturas (ver página 148). Fundente cuando se utiliza en pequeñas cantidades en barnices de alta temperatura, porque facilita la fusión de los otros ingredientes. Importante ingrediente de los barnices cristalinos. Utilizado en exceso, produce irregularidades en la cubierta y burbujas menudas (véase página 140). *Color*: el cobre produce color turquesa en los barnices de zinc. El cromo produce marrón en presencia del zinc. Materiales comúnmente empleados para aportar los elementos necesarios en las fórmulas de barnices.

Frita alcalina: Mezcla de sodio, potasio y sílice que vuelve insolubles el sodio y el potasio. Facilita la mezcla de los elementos con otros ingredientes de los barnices. Como casi todos los barnices alcalinos se cuartean, se puede introducir bórax en diversas proporciones en la frita para disminuir la expansión térmica del barniz resultante. Deben seguirse las recomendaciones del fabricante para obtener resultados satisfactorios. *Color*: favorece la obtención del turquesa cobre y del violeta manganeso.

Ceniza: Materia vegetal completamente quemada. Difiere en su composición según el tipo de planta, aunque sus principales elementos son sílice, alúmina y fundentes alcalinos con pequeñas proporciones de óxidos metálicos. Algunos tipos de ceniza forman un barniz a 1.250 ºC sin más aditivos.

Hidrato de alúmina: Una forma de alúmina pura. Se utiliza como lechada para impedir que los barnices se adhieran a los estantes del horno y rara vez para aportar alúmina al barniz.

Arcilla de bola: Se agrega a los cuerpos para aumentar su plasticidad y puede emplearse para aportar alúmina y sílice a los barnices, particularmente a los crudos, ya que contribuye a mantener en suspensión los ingredientes del barniz disueltos en agua.

Carbonato de bario, tóxico: Fundente secundario en barnices de alta temperatura, hasta el 10 por ciento. Produce un resultado mate si está presente en cantidades comprendidas entre un 10 y un 20 por ciento, y en ausencia de óxido bórico. Reacción alcalina con los óxidos colorantes.

Bentonita: Arcilla de bola muy plástica que se utiliza como medio en los barnices, en suspensión 2-3 por ciento.

Frita de bórax: Material obtenido artificialmente para poder hacer uso del óxido bórico sin inconvenientes. Contiene sílice y un poco de fundente alcalino. Deben seguirse las recomendaciones del fabricante para obtener los resultados normales.

Borato de calcio (colmanita o borocalcita): Frita natural de óxidos bórico y de calcio. Poderoso fundente de baja temperatura entre el 5 y el 40 por ciento y fundente secundario de alta temperatura entre el 5 y el 25 por ciento.

Carbonato cálcico (tiza, blanco de España): Fundente en barnices de alta temperatura hasta el 25 por ciento, pero en cantidades superiores al 35 por ciento matea el barniz.

Carbonato doble de calcio y magnesio (dolomita): Fundente secundario en barnices de alta temperatura entre el 5 y el 25 por ciento.

Fosfato cálcico (ceniza de huesos): Fundente secundario en barnices de alta temperatura entre el 5 y el 10 por ciento. Importante ingrediente de los cuerpos de porcelana de huesos.

Arcilla de China (caolín): Tipo de arcilla no plástica blanca tras la cocción. Importante ingrediente de los cuerpos de arcilla, utilizado para aportar alúmina y sílice a los barnices entre el 5 y el 25 por ciento.

Rocosa de China (piedra de Cornualles): Similar al feldespato aunque contiene más sílice. Fundente de alta temperatura y fundente secundario a bajas temperaturas. Existe en varios tipos.

Feldespato: Mineral insoluble que contiene sodio, potasio, alúmina y sílice; existe en diferentes tipos. Fundente secundario a bajas temperaturas, 10 a 40 por ciento, y fundente primario a altas temperaturas. Un contenido de feldespato de alrededor del 50 por ciento es común en los barnices de gres, aunque este porcentaje puede alcanzar hasta un 80 por ciento. Algunos tipos forman un barniz a 1.250 °C sin más aditivos.

Pedernal. Una forma de sílice pura. Una parte de la sílice necesaria para obtener un barniz satisfactorio puede ser aportada por otros ingredientes, puede completarse con pedernal en proporción de hasta un 15 por ciento para barnices de baja temperatura y de hasta un 30 por ciento para barnices de alta temperatura.

Bisilicato de plomo, tóxico: Combinación de sílice y plomo en forma de frita con el fin de reducir los riesgos que comporta el empleo de este último elemento.

Normalmente consta de un 65 por ciento de plomo y un 35 por ciento de sílice. Puede estar presente en barnices de baja temperatura (alrededor de 1.080 °C) en cantidad de hasta un 90 por ciento. *Color*: facilita la obtención del verde manzana con cobre y de tonos tostados con hierro.

Frita de plomo: Fundente activo que generalmente incluye bórax y pedernal. A bajas temperaturas produce buenos barnices siempre que la cocción no se efectúe en condiciones de reducción ni supere los 1.180 °C. No debe teñirse con óxido de cobre para su empleo en la fabricación de loza de mesa. Deben seguirse las recomendaciones del fabricante para conseguir resultados satisfactorios.

Carbonato de magnesio: Fundente de alta temperatura. Puede utilizarse en proporción de hasta un 10 por ciento para obtener barnices satinados, pero en cantidades superiores produce acabados mates.

Silicato de magnesio: Fundente secundario a todas las temperaturas, pero puede mantener el barniz si se utiliza en grandes cantidades.

Nefelina sienita: Feldespato muy fusible. Un 10 por ciento de nefelina sienita tiene las mismas propiedades fundentes que un 15 por ciento de feldespato normal.

Cuarzo: Otra forma de sílice pura, que con frecuencia puede utilizarse en sustitución del pedernal. Del 5 al 20 por ciento en barnices de baja temperatura, y del 15 al 30 por ciento en los de altas temperaturas.

Carbonato sódico: Forma soluble del sodio que rara vez se utiliza excepto en forma de frita.

Cloruro sódico (sal común): Forma de sodio utilizada en los vidriados de sal.

Ceniza volcánica: Roca fusible de composición variable que ha sido fundida en el momento de ser depositada. Se utiliza para barnices de altas temperaturas en cantidades del 10 por ciento para superficies opacas y satinadas y del 50 por ciento para barnices fluidos y transparentes.

Oxido de zinc: Utilizado en pequeñas cantidades, hasta el 5 por ciento, en barnices de altas temepraturas para favorecer la fusión, y en todos los barnices para obtener acabados mates, 5 al 15 por ciento en barnices sin boro.

CLASIFICACION DE LOS BARNICES

Los barnices se clasifican según sus principales características , que son:

la temperatura a la que deben cocerse
la textura de la superficie resultante
el color del barniz cocido
el principal fundente

Temperatura: Los barnices que se cuecen por debajo de los 1.150 °C se clasifican como "barnices de arcilla común y loza", y los que se cuecen por encima de esta temperatura, barnices de "gres" o "porcelana".

Textura: Los barnices pueden ser brillantes, mates o semimates (véase página 148).

Color: El color puede variar del rojo más vivo a los tostados más apagados y los negros. Puede también estar texturado o ser una combinación de varios. En algunos casos, el color depende del tipo de fundente que se utilice para la formación de vidrio.

Los fundentes alcalinos producen determinados colores característicos cuando se añaden óxidos colorantes (véase capítulo 15).

Principal fundente. Los barnices pueden clasificarse también según su principal componente activo; por ejemplo, barnices de plomo, ceniza, boro, barbotina, etc.

Cuando el cuerpo a partir del cual se ha formado el objeto presenta determinadas características sobresalientes, también éstas sirven como elementos identificativos. Por ejemplo "porcelana de huesos" hace referencia al cuerpo de arcilla, pero un barniz de "porcelana de huesos" es un barniz de arcilla común que se adapta a los cuerpos de porcelana de huesos. Un barniz de porcelana puede ser un barniz corriente de gres susceptible de soportar la temperatura a la que se cuece un cuerpo de porcelana.

BARNICES PARA ARCILLA COMÚN Y LOZA

Algunos de los barnices más antiguos que se conocen se presentan en piezas elaboradas con materiales con la suficiente proporción de elementos alcalinos como para que se formara una delgada película de barniz sobre la superficie tras la cocción. También existen evidencias de que se emplearon barnices de fritas alcalinas en el Próximo Oriente hacia el 2.000 a. de J.C. El plomo en forma de galena (mineral de plomo que contiene impurezas de hierro) era de uso común en Europa durante la Edad Media. El sodio y el potasio son los fundentes más empleados junto con el plomo y el boro.

Barnices alcalinos

El tipo más adecuado de barniz alcalino es el que tiene como base una frita comercial de las muchas existentes. Antes de efectuar la compra es peciso asegurarse de que tanto las fritas como los barnices sean adecuados para las temperaturas de cocción deseadas. Muchos barnices alcalinos se cuartean sobre la mayoría de las arcillas resultando inadecuados para la fabricación de loza de mesa cocida a baja temperatura. Algunos barnices comerciales son "inagrietables" siempre que se efectúen con las debidas precauciones el bizcochado y la cocción del barniz (véase página 139).

Barnices de plomo

El plomo ha sido el fundente más utilizado para la loza común debido a que produce un acabado liso y brillante y posee una expansión térmica muy similar a la de la arcilla. La introducción de las fritas para barnices ha reducido, para el ceramista, el riesgo de intoxicación por plomo, aunque en la actualidad se sabe que, debido a la solubilidad de este elemento en barnices de baja temperatura, su empleo en la fabricación de loza de mesa supone un riesgo potencial para quienes comen o beben en ellas alimentos ácidos. Sin embargo, si el barniz está bien cocido y no se ha empleado cobre para colorearlo, este riesgo desaparece. En caso contrario, los barnices de plomo sólo deben emplearse para decorar objetos no funcionales, y este requisito es desde luego imprescindible en el caso de los barnices de baja temperatura no fritados elaborados con plomo (véase página 170).

Barnices de boro

Son barnices brillantes sin tanta tendencia al agrietamiento como los alcalinos. El bórax hierve considerablemente antes de alcanzar el punto de fusión y puede producir moteados cuando se tiñe con óxidos metálicos. Los colores que se obtienen con barnices de boro suelen ser alcalinos. Deben seguirse las recomendaciones del fabricante para utilizar estos barnices satisfactoriamente.

BARNICES DE GRES

Los barnices de altas temperaturas se originaron en China y parece probable que su descubrimiento se debiera a que, al utilizarse leña como

combustible de los hornos, parte de la ceniza se depositara en los objetos de arcilla y contribuyera a fundir la sílice libre del cuerpo formando por consiguiente un barniz.

El empleo del feldespato como fundente y elemento constitutivo de los barnices también proviene del Lejano Oriente. Como las piezas de gres se cocían en hornos de llama al descubierto y alimentados con combustibles sólidos se producían normalmente una carencia de oxigeno en la atmósfera y, por consiguiente, condiciones "de reducción", que afectaban a la superficie de los barnices y a los colores conseguidos con óxidos metálicos. Los ceramistas actuales siguen siendo muy partidarios de los barnices de gres cocidos en condiciones de reducción. Algunos barnices sólo producen resultados satisfactorios en determinadas condiciones atmosféricas que han de provocarse artificialmente en los hornos modernos dotados de un sistema eficaz de combustión.

BARNICES DE CENIZA

La ceniza de madera es de composición variable, pero la primera prueba a la que debe someterse ha de ser para determinar si con ella puede obtenerse un barniz sin otros aditivos. Para hacerlo, se limpia la ceniza remojándola en una buena cantidad de agua durante veinticuatro horas y al cabo de este tiempo se eliminan los cuerpos extraños. A continuacín se seca y se muele la ceniza. El remojo (o lavado) puede repetirse si fuera necesario, pero si la ceniza se lava más de dos veces se pierde una cantidad excesiva de fundente soluble. Hay que colar la solución de ceniza y agua con una criba de malla 200 antes de utilizarla. Parte de esta solución puede cocerse en un cuenco sin barnizar, con el fin de evitar estropear otras piezas situadas en el horno en el caso de que el barniz se licue excesivamente al ser cocido a 1.250 ºC. Normalmente, se añade feldespato a la ceniza de madera para mejorar el barniz.

Según la fluidez y el espesor del barniz obtenido sólo con ceniza, es posible reducir la proporción de ésta hasta un mínimo del 40 por ciento y añadir hasta un 50 por ciento de feldespato, un 15 por ciento de arcilla de China y un 15 por ciento de pedernal.

BARNICES DE FELDESPATO

Los barnices de feldespato para gres varían en su composición, aunque entre sus principales ingredientes se encuentran feldespato, arcilla de China, blanco de España y pedernal o cuarzo. Las proporciones oscilan entre un 55 por ciento de feldespato y otros fundentes hasta un 45 por ciento de perdernal o cuarzo y arcilla (que da un barniz poco brillante) y de un 85 por ciento a un 15 por ciento respectivamente para barnices brillantes. Si la proporción de pedernal es elevada con respecto a la de arcilla, resulta un barniz duro y brillante, y, en caso, contrario, de textura mate.

Casi todos los barnices de feldespato llevan algo de blanco de España (entre un 5 y un 20 por ciento), aunque una parte o la totalidad de estas cantidades puede ser sustituida por uno o más de los siguientes fundentes secundarios:

carbonato de bario	5 % a 10 %
colmanita	5 % a 10 %
dolomita	5 % a 15 %
óxido de zinc	1 % a 6 %
carbonato de magnesio	2 % a 7 %
talco	5 % a 15 %

cuanto mayor sea el número de fundentes mayor será su actividad.

BARNICES DE BARBOTINA

Algunas arcillas, particularmente las que maduran a muy bajas temperaturas, pueden servir para la preparación de barnices de barbotina para temperatuas de gres. Las que contienen hierro (rojas) son frecuentemente utilizadas; para este fin después de probarlas sin otro aditivo, se les puede añadir feldespato en proporción de hasta un 50 por ciento. No todas las arcillas dan buenos resultados y sólo merece la pena utilizar las que se funden en gran porporción sin necesidad de aditivos. Cabe también incorporarles otros fundentes, que pueden alterar el color del barniz. Los barnices de barbotina son muy adecuados para cubrir la arcilla no bizcochada porque su encogimiento de secado es muy similar, permitiendo por consiguiente completar el trabajo con una única cocción.

PREPARACIÓN DE BARNICES

Para preparar un barniz hay que pesar los ingredientes con exactitud, en un balanza de precisión las cantidades pequeñas y en una báscula las grandes. Se colocan a continuación en un barreño o cubo de plástico y se cubren con la cantidad suficiente de agua para obtener un líquido cremoso. El exceso de agua, agregado accidentalmente, puede absorberse con un sifón o una esponja, siempre que se deje sedimentar la mezcla

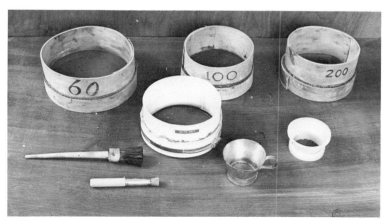

Varios tamices y brochas.

Herramientas para moler a mano
barnices y materias colorantes:
morteros y manos (al fondo);
espátulas y baldosa barnizada
(izquierda); molestas y placa de
vidrio (abajo, a la derecha).

Molino a bolas, depósitos y
bolas. Cualquier material, en
especial los barnices que
contienen óxidos colorantes,
pueden molerse en partículas
muy finas colocándolo en el
depósito junto con las bolas y
haciéndolo girar durante varias
horas.

durante toda una noche. En este caso, los ingredientes se aglutinan
formando una pasta suave. Seguidamente, se cuela la suspensión a otro
barreño limpio a través de un tamiz de malla 150 o 200 para eliminar los
grumos y conseguir una dispersión uniforme de los diversos componentes del barniz. Si cuesta hacer pasar la pasta por el tamiz se puede emplear
un pincel de pelo duro para empujarla. En el caso de que queden grumos
duros que no atraviesen los orificios, pueden retirarse y triturarse en un
mortero, o en un molino a bolas, aunque una excesiva molienda incrementa el riesgo de irregularidades en la cubierta (véase página 140). Una
vez colado dos veces por el tamiz el barniz está listo para ser aplicado.
Para obtener buenos resultados es de suma importancia no olvidar
incorporar a la solución todos los ingredientes preparados.

DEFECTOS DE LOS BARNICES

De entre los diferentes tipos de defectos que pueden aparecer en los barnices, algunos se hacen evidentes inmediatamente después de la cocción y otros al cabo de algún tiempo. Las cuarteaduras, por ejemplo, tardan a veces meses en manifestarse. Las que aparecen al cabo del tiempo en la loza común se atribuyen generalmente a la absorción de agua de la atmósfera por parte de la arcilla, lo que provoca su expansión y por consiguiente el agrietamiento del barniz. Los demás defectos son más veces imputables a fallos de manufactura, aplicación o cocción que a una composición desacertada de los barnices.

Cuarteaduras. Es el defecto más corriente de las superficies barnizadas y consiste en la aparición de una red de grietas durante el proceso de enfriamiento o después. Se produce principalmente en los barnices alcalinos para loza común aunque también en barnices de gres. El problema es tanto más grave cuanto mayor es la frecuencia con que aparecen las grietas, y es achacable al empleo de barnices con unos índices de expansión y contracción térmicas más elevados que los del cuerpo, con lo que la cubierta resulta de extensión insuficiente para abarcar toda la superficie del objeto al enfriarse.

Para evitarlo es necesario que la expansión térmica del barniz, que depende de la de los agentes fundentes y de la proporción de pedernal que éste contiene, sea ligeramente inferior a la de la arcilla, que a su vez es determinada por la cantidad de sílice libre y la forma cristalina que ésta adopta. El ritmo del calentamiento al que se somete la arcilla durante el bizcochado o la cocción del barniz determina la proporción de cada tipo de cristales de sílice presentes tras la última cochura (véase página 118).

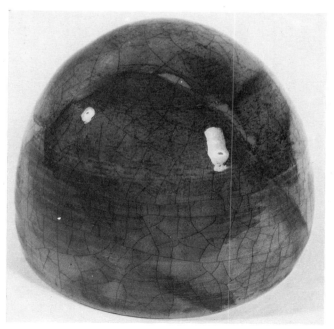

Muestra de barniz cuarteado.

Cráter de yeso aparecido dos meses después de terminada la pieza.

Para incrementar la expansión térmica del cuerpo es preciso introducir durante el amasado o la molienda más cantidad de sílice libre en forma de pedernal, pero esta solución resulta inconveniente en talleres artesanales, porque, aparte del trabajo que implica, como muchos cuerpos se utilizan con distintos barnices, el cambiar la expansión térmica de la arcilla para uno de ellos puede provocar la aparición de defectos en otros barnices que hasta entonces se habían utilizado con resultados satisfactorios. Una solución alternativa consiste en cocer el bizcocho a mayor temperatura o mantenerlo algún tiempo a la temperatura máxima para que sea mayor la cantidad de sílice que se modifique, pero también tiene una contrapartida, y es que pueden presentarse problemas a la hora de aplicar el barniz debido a que a resultas de este tratamiento la porosidad del cuerpo decrece en ocasiones (véase página 118).

Para modificar la expansión térmica del barniz cabe la posibilidad de agregar más sílice. La sílice añadida no se comporta como la que el cuerpo contiene en estado libre, sino que se funde por la acción de los fundentes, formando en el barniz varios silicatos que reducen su expansión térmica. Pero el añadir más sílice puede elevar el punto de fusión de los barnices, lo que supone un inconveniente para los que han de cocerse a bajas temperaturas. La única alternativa consiste en cambiar alguno o todos los fundentes por otro que tenga un índice inferior de expansión térmica (véase página 129). Desde luego el color no será el que inicialmente se pretendía, pero hay que pasar por alto esta desventaja si se quieren evitar las cuarteaduras.

El estrellado es el defecto exactamente opuesto al anterior, pero se produce con mucha menor frecuencia. También consiste en una red de grietas repartidas por la superficie ya cocida del barniz, pero cuando se pasa la mano por ésta se observa que las grietas sobresalen. El defecto se produce cuando el cuerpo tiene una expansión térmica muy superior a la del barniz y, por consiguiente, cuando aquél encoge al enfriarse, el barniz se cuartea por tender a continuar adherido a la arcilla y las tensiones que en él se producen levantan los bordes de las placas haciendo que se superpongan. En los casos más graves, las placas pueden incluso desprenderse de la arcilla, defecto que se denomina descascarillado.

Para impedir el estrellado o bien se reduce la cantidad de sílice libre del cuerpo, cosa que resulta imposible en un taller a menos que se preparen los cuerpos en lugar de comprarlos ya listos para su uso, o se reduce la temperatura de bizcochado o de cocción del barniz.

Otra alternativa es la que supone incrementar la expansión térmica del barniz cambiando todos o alguno de los fundentes por uno que tenga un más elevado índice de expansión térmica (véase página 129).

Irregularidades en la cubierta

Este defecto se produce cuando durante la cocción el barniz se aglutina formando nódulos y dejando zonas de la arcilla al descubierto. La causa reside en una adhesión deficiente entre el cuerpo y el barniz durante la fusión. Si el barniz es de naturaleza viscosa y posee un grado elevado de tensión superficial (como es el caso de los que contienen elevadas proporciones de zinc o estaño y de los que se han molido demasiado) la única

Muestra de barniz con
irregularidades en la cubierta.

medida preventiva posible consiste en aplicarlo en una capa muy fina.
Otras causas son que el bizcocho esté empolvado y el barniz no quede
bien adherido a su superficie (una causa bastante corriente) o que
contenga residuos grasos o aceitosos por haber sido manipulado sin las
debidas precauciones entre el bizcochado y la aplicación del barniz. Para
evitar estos riesgos conviene barnizar el bizcocho lo antes posible y
tocarlo siempre con las manos muy limpias.

Como estando húmeda la arcilla tampoco se adhiere bien el barniz es
aconsejable dejar secar la superficie barnizada en primer lugar (la interna
o la externa) antes de barnizar la otra. También puede ocurrir que si el
barniz contiene una elevada cantidad de arcilla natural, este ingrediente
provoque un excesivo encogimiento del barniz sin cocer durante la fase
de secado, lo que se manifiesta por la aparición de pequeñas grietas. En
este caso, debe sustituirse toda la arcilla o una parte de ella por arcilla
calcinada u otro tipo que posea un índice de encogimiento de secado
muy poco acentuado; se puede sustituir por ejemplo la arcilla de bola
por arcilla de China y ésta por arcilla de China calcinada. Los barnices de
zinc también suelen encoger excesivamente durante el secado. Cualquier
grieta que aparezca en un barniz sin cocer debe alisarse y rellenarse
frotándola con un dedo limpio.

Grietas. Las grietas que se producen en las piezas durante el enfriamiento o después de producido éste pueden deberse al empleo de
barnices con diferentes expansiones térmicas en la superficie interior y
exterior de las mismas. Asimismo sucede que si se aplica un barniz mate
(en especial el de zinc con esta característica) sobre una pieza de paredes
finas, la fuerza compresiva del barniz tras la cocción puede ser lo suficientemente intensa como para rajar la pieza. El agrietamiento se produce
también a resultas de un cambio brusco de temperatura (véase página
119).

Las burbujas, que se manifiestan en forma de una serie de orificios
pequeños o grandes en la superficie del barniz, son producidas por la
ebullición que todos los barnices experimentan durante la fusión. Algunos fundentes hierven más que otros: el litio, por ejemplo, es un

Vasija china Kuan, dinastía Sung. Pieza modelada en el torno con barniz agrietado deliberadamente.

fundente que no se emplea demasiado en los talleres artesanales por esta razón. A veces los orificios son tan diminutos que solo se aprecian observando el objeto muy detenidamente, y en este caso lo que se aprecia a simple vista es que la superficie ha quedado turbia.

El modo de prevenir este defecto consiste en mantener las piezas durante algún tiempo a la temperatura máxima alcanzada, con el fin de dar tiempo a que el barniz se asiente después del burbujeo. Asimismo cabe la posibilidad de sustituir el fundente por otro que hierva con menos violencia.

Las superficies de textura irregular, semejantes a la de la piel de sapo, son producidas por las mismas causas que las burbujas y deben prevenirse de igual modo.

Los desperfectos originados por fragmentos de yeso no son en realidad defectos del barniz, aunque a veces salen a la luz después de la cocción de éste. Adoptan la forma de un pequeño cráter aislado en una superficie, por lo demás, perfectamente barnizada. Dentro del cráter se encuentra un grumo blanco de yeso, pues el defecto se debe a la contaminación de la arcilla con este material durante los procesos de preparación o formación de la pieza. Durante la cocción, el yeso se deshidrata, pero al enfriarse absorbe humedad del ambiente con mucha facilidad. En consecuencia se expansiona y su incremento de volumen crea la presión suficiente para abrir un cráter en la superficie. No existen remedios, sólo medidas preventivas.

Otros defectos de los barnices son normalmente atribuibles a una incorrecta aplicación (capa demasiado gruesa o demasiado fina), o una cocción a temperatura insuficiente o excesiva en cuyos casos el barniz resulta áspero como papel de lija o resbala por la superficie de la pieza formando lagunas en la base. Todas las reacciones de los barnices comúnmente consideradas como defectos pueden provocarse deliberadamente para obtener calidades novedosas, aunque conviene barnizar nuevamente los objetos y volverlos a cocer.

15. Color y textura de los barnices

En cerámica, el color se obtiene por la presencia de sales u óxidos metálicos. A veces, estos metales, en especial el hierro, se encuentran ya presentes en la arcilla bajo alguna forma, y, en tales casos, los barnices aplicados encima pueden resultar influenciados por el cuerpo. Cuando un barniz transparente cubre un bizcocho oscuro (como el de arcilla roja común por ejemplo) adquiere un tono tostado o negro, e incluso si el barniz ha sido teñido, el resultado será muy oscuro a menos que agregue un aditivo blanco que confiera opacidad.

El color de los óxidos metálicos antes de la cocción se asemeja poco o nada al color que producen en el barniz, y así se comprende si se tiene en cuenta que el color es determinado por las ondas de luz que se reflejan y son refractadas por las superficies de los objetos. Los óxidos metálicos modifican las características de la cubierta de barniz.

En la actualidad, el ceramista tiene a su disposición múltiples preparados comerciales que se venden bajo las denominaciones de "tintes para barnices", "colores bajobarniz" y "colores sobrebarniz". Todos ellos son compuestos de óxidos metálicos, fundentes y materiales refractarios que, si se emplean siguiendo las recomendaciones del fabricante, producen los colores especificados. Aunque estos preparados dan excelentes resultados para muchas aplicaciones, carecen de la flexibilidad que permiten los óxidos metálicos.

Todos los óxidos metálicos sirven para teñir arcillas, engobes y barnices, así como para ser aplicados encima o debajo de estos últimos. Resulta evidente que no tiene objeto aplicar un óxido colorante sobre una arcilla de color oscuro si se desea obtener imágenes nítidas y precisas, efecto que sólo puede lograrse cubriendo primero la arcilla con un engobe o barniz blanco para que su superficie resulte adecuada para recibir el color en cuestión.

Añadiendo varios óxidos colorantes a un engobe o un barniz cabe la posibilidad de obtener diferentes matices y tonalidades, y a base de experimentos se consiguen interesantes combinaciones de barnices de distinto color. El tipo de cocción a que se somete un barniz teñido influye también considerablemente en el color del resultado, pues, si bien hay óxidos estables a todas las temperaturas, otros tienden a volatilizarse a temperaturas elevadas. Determinados óxidos producen colores totalmente distintos en los barnices, según la cantidad de oxígeno presente en la atmósfera del horno durante la cocción. Finalmente, el principal fundente del barniz puede también determinar el tono concreto que va a obtenerse.

La falta de uniformidad en el color puede provocarse deliberadamente texturando el barniz con materiales tales como rutilo o ilmenita. Este efecto se produce a veces espontáneamente con distintas características cuando se aplica irregularmente un barniz teñido, en especial sobre un bizcocho oscuro. Cuando se superponen dos barnices, el color del de debajo puede salir a la superficie en algunas zonas con lo que se obtiene un efecto veteado. Los barnices mates (véase página 148) tienen particular tendencia a producir este efecto cuando se aplican sobre otros barnices más líquidos. Aquellos cuyo principal fundente es el bórax producen a veces superficies moteadas cuando se tiñen, debido a la intensa ebullición que precede a la fusión.

La siguiente es una relación de colores junto con los óxidos metálicos que pueden emplearse para conseguirlos.

Rojo	Cadmio y selenio cocidos por debajo de los 1.050 °C Óxido de cobre cocido en condiciones de reducción. Bicromato potásico cocido por debajo de 950 °C. Hierro Uranio
Rosa	Combinaciones de cromo y estaño Combinaciones de cloruro de oro y cloruro de estaño cocidas por debajo de 1.100 °C.
Naranja	Combinaciones de cadmio y selenio Bicromato potásico Uranio
Amarillo	Combinaciones de cadmio y selenio Hierro Pentóxido de vanadio con estaño Óxido de antimonio Uranio
Verde	Cobre Cromo Hierro en pequeñas cantidades sobre gres cocido en condiciones de reducción (véase página 163)
Turquesa	Cobre en barnices alcalinos Cobre y cobalto en barnices alcalinos
Azul	Cobalto Cobre Cobalto con níquel Hierro
Púrpura	Manganeso en barnices alcalinos Manganeso con cobalto

Marrón	Hierro
	Manganeso en barnices de plomo
	Cromo en barnices de zinc
	Níquel
Blanco	Estaño
	Zirconio
Crema	Titanio
Negro	Combinaciones de cualquiera de tres de estos elementos: cobalto, hierro, manganeso y cobre, hasta un total que no exceda de un 8 a un 10 por ciento.
	Hierro en barnices de gres, 10 por ciento.

Algunos de estos colores son difíciles de conseguir y dependen de la calidad primaria o secundaria del fundente principal del barniz y de la atmósfera y la temperatura de cocción. Cada una de las diferentes posibilidades producirá una tonalidad distinta del color buscado.

El efecto colorante de los óxidos es variable, y los porcentajes que se indican en la lista siguiente deben considerarse como límites inferior y superior.

Antimoniato de plomo, tóxico: 5-10 por ciento para obtener amarillo en barnices de plomo.

Óxido de antimonio, tóxico: 7-17 por ciento para obtener blanco.
En barnices de plomo tiende a producir amarillo debido a que se forma alguna cantidad de antimoniato de plomo.

Cadmio, tóxico: El cadmio se combina normalmente con selenio para obtener barnices rojos, anaranjados y amarillos. Debido a los riesgos que entraña su manipulación es preferible adquirir un barniz o un tinte para barnices ya preparado por un fabricante de confianza y seguir las instrucciones de cocción con vistas a obtener resultados satisfactorios. El óxido de cobre destruye el color de los barnices de cadmio y selenio.

Óxido de cromo, tóxico: 1/2 a 3 por ciento para obtener verde en engobes y barnices. Produce rojo o naranja en barnices de baja temperatura con elevado contenido de plomo. Las combinaciones del 1 por ciento de cromo y 5 por ciento de estaño producen rosa. En presencia de zinc, el cromo da varios tonos de marrón.

Óxido de cobalto, tóxico: 1/4 a 2 por ciento para obtener azul en cualquier barniz engobe o arcilla. En barnices de plomo el color es un azul cobalto y en barnices alcalinos un azul vivo. En presencia de magnesio el color tiende hacia el púrpura. En barnices de magnesio de temperatura elevada el azul púrpura puede descomponerse originando manchas rojas sobre el azul.

Carbonato de cobalto, tóxico: A veces se utiliza en sustitución del óxido de cobalto porque al ser más fino permite una distribución más uniforme del color en el barniz.

Óxido de cobre, tóxico: 1-5 por ciento para obtener verde en la mayoría

de los barnices, arcillas y engobes. En cantidades mayores puede producir un negro intenso y cristalino. En los barnices alcalinos el color tiende al turquesa. Cuanto mayor es la proporción de fundente alcalino y menor la de alúmina más anulado será el turquesa.

Los barnices que contienen bario como elemento fundente también se vuelven azules con la incorporación de cobre. En condiciones de reducción el cobre tiende al rojo. La inclusión de estaño (3 por ciento) y hierro (1/2 por ciento) junto con el cobre (1/2-2 por ciento) en un barniz alcalino con algo de bórax incrementa las posibilidades de conseguir uno de los tonos más vivos de este color tan difícil de lograr. Los barnices mates sólo producen rojos sucios.

Carbonato de cobre, tóxico: Se prefiere al óxido de cobre porque tiene un grano más fino, aunque esto tiene menos importancia en los barnices que en los engobes debido a que el cobre actúa como fundente a todas las temperaturas y se distribuye uniformemente por el barniz.

Hierro púrpura: Mineral de hierro impuro que produce marrones y amarillos moteados en barnices de gres (los mismos porcentajes que el óxido de hierro).

Ilmenita: Forma combinada de óxidos de hierro y titanio. Se utiliza normalmente en proporción. 1-7 por ciento para obtener barnices con moteados de color. A causa de su contenido de hierro produce un moteado marrón cuando se emplea por sí solo.

Con frecuencia puede adquirirse en diferentes calibres de grano: cuanto más barato sea el grano más grueso será el moteado de color.

Oxido de hierro (hierro rojo, hierro amarillo, hierro magnético, hierro púrpura): Es probablemente el óxido más utilizado como colorante. Los barnices de plomo para loza común con 1-4 por ciento de óxido de hierro varían del amarillo al ámbar, y con un 7 por ciento producen marrón oscuro. Los barnices de plomo con pequeñas cantidades de hierro, 1 por ciento, junto con 5 por ciento o más de estaño, producen barnices color crema con moteado marrón.

Los barnices de gres que contienen feldespato y blanco de España junto con 1/2-2 por ciento de hierro producen varias tonalidades de verde si la acción se efectúa en condiciones de reducción. Si se añade estaño a los barnices verdeceledón el color resultante es gris en lugar de verde. La ceniza de huesos, en proporción de 3 a 7 por ciento, propicia la aparición de verde azulado en barnices de color verdeceledón claro. De un 5 a un 8 por ciento de hierro produce marrón con matices rojizos en los barnices de gres, y en más de un 10 por ciento, si se aplica en capas gruesas, se obtiene negro con rojo y marrón en los bordes de la pieza o en aquellos puntos donde la capa haya quedado más fina. Los barnices que contienen más de un 10 por ciento de hierro pueden formar superficies cristalinas de color rojo en determinadas condiciones de reducción, particularmente cuando se aplican sobre cuerpos rojos.

El hierro se añade al barniz en forma de óxido de hierro (varias formas) o de arcilla roja, siendo esta segunda posibilidad particularmente común en barnices de gres. El hierro tiende a penetrar en casi todos los materiales cerámicos y su presencia se manifiesta en forma de manchas marrones en el barniz y en el cuerpo. Estas manchas

(Página opuesta) *Desfile triunfal*, de T.S. Haile, 1937. Altura, 41 cm. Vasija de arcilla gruesa modelada con torno y pintada con óxidos bajo un barniz transparente de gres.

pueden no gustar, pero no suponen ningún riesgo de deterioro para las piezas, exceptuando el caso de las piritas de hierro que producen motas de un negro denso en el bizcocho que se convierten en escoriaciones hundidas del mismo color si se aplica encima un barniz. Este mismo material es el responsable de la coloración de muchas arcillas naturales, que oscilan del amarillo al marrón después del bizcochado. Es preciso efectuar una molienda muy prolongada y cuidadosa para obtener arcilla de color rojo o amarillo añadiendo hierro a una arcilla blanca.

El hierro magnético produce moteados marrones en barnices y arcillas y se emplea para que se formen cristales de hierro en los barnices cristalinos.

Manganeso: 2-10 por ciento para obtener marrón en los barnices de plomo o un color violáceo en los alcalinos. Los tipos de grano más grueso producen moteado de color en barnices y arcillas. Si se combina con pequeñas cantidades de cobalto, el color violeta puede ser muy pronunciado.

En barnices de gres, el color resultante tiende más al marrón que al violeta.

Níquel, tóxico: 1-3 por ciento produce marrón o verde en los barnices, aunque lo más frecuente es emplearlo para modificar otros colores. En los barnices de gres que contienen zinc, y particularmente en aquellos en los que se forman cristales, el color resultante puede ser amarillo, violeta o azul.

Bicromato potásico, tóxico: Una forma de cromo; 1-10 por ciento para obtener rojo y naranja en barnices de elevado contenido en plomo, que han de cocerse por debajo de los 1.000 °C.

Rutilo: Una forma de titanio y hierro similar a la ilmenita, aunque con un contenido de hierro inferior; se utiliza para provocar efectos moteados en barnices (2-10 por ciento).

Selenio: Véase cadmio.

Estaño: En cantidad de hasta un 8 por ciento vuelve opaco al barniz y produce superficies blancas. En cantidades superiores tiende a producir irregularidades en la cubierta (véase página 140).

Combinado con óxido de cromo, el estaño produce color rosa. No se funde con el barniz, sino que permanece en suspensión, tendiendo a matearlo. Este tipo de barniz se emplea corrientemente como base para decoración sobre barniz (véase Capítulo 18).

Titanio: 5-10 por ciento para conseguir barnices opacos ligeramente mates. El color resultante está más próximo al crema que al blanco de los barnices de estaño. El titanio puro produce acabados blancos y opacos cuando se añade a los barnices. También puede utilizarse para provocar la aparición de núcleos de cristal en los barnices cristalinos.

Uranio: 1-10 por ciento para obtener amarillos y rojos en los barnices blancos de plomo y amarillos en los de gres. Si se cuece sobre gres en condiciones de reducción, el color resultante es un gris apagado, en vez de amarillo.

Vanadio, tóxico: 5-10 por ciento para obtener barnices amarillos, unido normalmente al estaño.

Zirconio: En cantidad de hasta un 15 por ciento puede añadirse a barbotinas y barnices para obtener acabados blancos y opacos. Se emplea en sustitución del estaño en barnices que contienen plomo con el fin de obtener verdes claros.

Algunos óxidos no se funden con el barniz resultando una distribución irregular del pigmento, de ahí que resulte aconsejable moler o triturar cualquier aditivo colorante junto con una pequeña cantidad de barniz, a menos que se quieran conseguir efectos moteados. Si se tamiza el barniz y después se le añade el material colorante sin colar se consiguen motas de mayor tamaño, pero este recurso sólo debe adoptarse si se pretende que dicho efecto sea muy señalado y nunca para colores uniformes.

TEXTURA DE LAS SUPERFICIES BARNIZADAS

Los acabados que proporcionan los barnices pueden ser brillantes o mates. Un exceso de alúmina, calcio, carbonato de bario o zinc produce superficies mates. En barnices de baja temperatura, los carbonatos de zinc o bario, en una proporción comprendida entre el 10 y el 20 por ciento, suprimen el brillo, mientras que el mismo efecto sólo se consigue en los barnices de boro a partir de un 25 por ciento.

Los barnices de gres admiten cantidades similares de carbonatos de zinc o bario, o un 40 por ciento o más de blanco de España. El contenido de alúmina puede incrementarse con la adición de Arcilla de China. Cuando se desea obtener un acabado mate con un barniz de loza común, es preferible incorporar en proporciones iguales (4 por ciento) zinc, titanio y estaño, con lo que se consigue un acabado semimate en la mayor parte de los barnices cocidos a unos 1.050 ºC.

Los barnices mates tienden a veces a producir irregularidades en la cubierta o burbujas menudas (véase página 140). Las proporciones idóneas para un barniz concreto deben determinarse mediante experimentos. Todos los barnices mates son opacos, y, debido a la aspereza de sus acabados, resultan inadecuados para la confección de loza de mesa, ya que son difíciles de limpiar. Los barnices muy mates no deben confundirse con los acabados que se producen por cocer los barnices a menor temperatura de la conveniente, y han de dejarse enfriar muy despacio para obtener buenos resultados.

La mayoría de los óxidos metálicos actúan como fundentes hasta un cierto grado. Un barniz mate puede adquirir brillo si se colorea con suficiente cantidad de óxidos, en especial si éstos son de cobre, manganeso y hierro. Conviene no sobrepasar un máximo del 10 por ciento de óxidos metálicos en la fórmula del barniz.

PRUEBAS DE BARNIZ

Es aconsejable probar la mayor parte de los barnices antes de su aplicación, sobre pequeñas planchas o recipientes bizcochados, como mejor convenga. Después se deben anotar minuciosamente los resultados de estas pruebas para poder repetirlos (o evitarlos) en un futuro. Son muy útiles los registros de pruebas como la del ejemplo siguiente, realizados por duplicado:

FORMULA

Fundentes   peso real

%

%

%

%

Materiales arcillosos

%

%

%

Materiales que contienen
sílice

%

%

Total 100%

Agentes para suprimir brillo

% del barniz

% del barniz

Agentes colorantes

% del barniz

% del barniz

% del barniz

% del barniz

Temperatura de cocción

Tiempo de cocción

Intervalo de temperatura mantenida (en caso necesario)

Tipo de atmósfera (oxidación o reducción)

RESULTADOS

a Tipo de superficie
b Color
c Textura

Variaciones (si las hay)

a Aplicación espesa
b Aplicación delgada
c Posición vertical
d Posición horizontal

La casa de Alicia, de Robert Arneson, 1967.
Escultura de arcilla policromada, 1,80 m. x
2,40 cm.

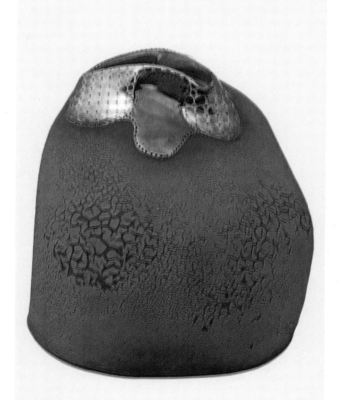

Forma naranja, de Ralph Bacerra, 1968.
Escultura de arcilla con barniz metálico de
cromo y plomo. Altura 20 cm.

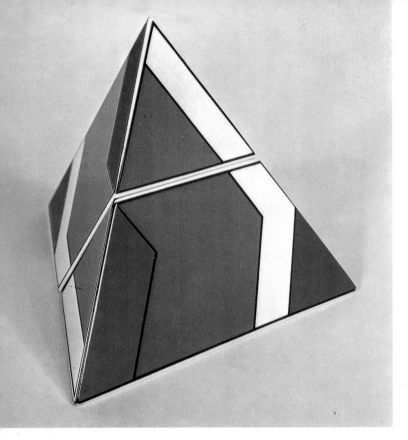

Pirámide de dos piezas, de G. Barton, 1972. Pieza vaciada en pocelana de huesos y afinada en la muela despúes del bizcochado. Barniz blanco de porcelana de huesos con calcomanías serigráficas aplicadas sobre barniz.

Tetera con soporte fijo, de D. Hamilton, 1973. 25 cm de altura. Cuerpo y pitorro modelados en el torno, lengüetas y tirador modelados a mano, barniz de gres blanco mate oxidado con tintes pulverizados sobre el mismo a través de una rejilla metálica. Base de aluminio y asa de aluminio y plexiglás.

16. Aplicación del barniz

Los barnices se preparan generalmente mezclando ingredientes secos y agua hasta obtener un líquido con la consistencia de la nata líquida. Algunos están formulados de tal modo que pueden aplicarse sobre arcilla verde, pero, en la mayoría de los casos se barnizan superficies ya bizcochadas. La calidad absorbente del bizcocho permite la absorción del agua y la retención de las partículas que componen el barniz.

Inmersión

Es el sistema más corriente de aplicación de barnices y con el se consigue depositar una capa uniforme por todas las caras de la pieza, sin necesidad de utilizar otro accesorio que un recipiente de las dimensiones adecuadas para sumergir por completo la pieza si esto fuera necesario.

Se prepara el barniz en cantidad suficiente para obtener un nivel adecuado en el recipiente elegido. Hay que colarlo a través de una criba de malla 200 después de mezclarlo con agua. Si se ha dejado en reposo durante varios días quizá sea necesario repetir esta operación antes de utilizarlo. A continuación, se prueba el barniz sumergiendo en él varias piezas de prueba ya bizcochadas (lo ideal es que hayan sido bizcochadas a la misma temperatura que la pieza que se va a barnizar), con objeto de comprobar si ha quedado algún grumo en la mezcla así como de orientarse sobre el tiempo que ha de estar sumergida la pieza para que se deposite sobre la misma la cantidad conveniente de barniz. La mezcla de agua y barniz debe tener una consistencia tal que, cuando se introduzcan en ella las piezas durante cinco o diez segundos, se deposite en sus superficies una capa de un espesor comprendido entre 1,5 mm y 3 mm. El espesor adecuado depende del tipo de barniz empleado y la porosidad del bizcocho. Algunos barnices son más apropiados para capas delgadas y otros para gruesas. También ocurre que la tintura y el color pueden variar según el espesor de la capa aplicada.

Para barnizar el interior de un recipiente, se llena de barniz hasta el borde, se deja así durante algunos segundos y seguidamente se vacía. Se retira inmediatamente cualquier goterón que se produzca con ayuda de una esponja húmeda, y se deja secar la pieza. Si no aparecen manchas húmedas por el exterior se puede proceder a aplicar el barniz sobre éste. Se sostiene para ello la pieza en posición invertida por la base y se introduce en el barniz. La presión del aire que queda en el interior bastará

Columna extruida con base modelada con planchas, de D. Hamilton. Barniz mate blanco de gres aplicado por repetidas inmersiones de ambos extremos, dejando el cuerpo al descubierto en el centro. Decoración pintada con óxido de hierro.

para impedir que el barniz penetre por la cara ya barnizada siempre que no tengan orificios ni las paredes ni la base. Este procedimiento tiene la ventaja de permitir la aplicación de diferentes barnices por el interior y por el exterior.

Si se quiere aplicar el mismo barniz sobre ambas superficies, se puede sostener la pieza de tal modo que pueda introducirse totalmente dentro del barniz, para que se bañen todas sus caras simultáneamente. Se requiere práctica para obtener un espesor uniforme y satisfactorio.

Casi siempre que se utiliza este método quedan huellas dactilares que se ven luego una vez cocido el barniz, y el único modo de evitar este inconveniente consiste en diseñar la pieza de manera que alguna de sus partes no deba llevar barniz y pueda agarrarse por este punto durante la aplicación del mismo. No obstante, existen algunos instrumentos que permiten sostener las piezas para su inmersión total dejando solamente unas pequeñas marcas en la pieza terminada. En la industria se utilizan dediles con ganchos que sujetan firmemente la pieza durante la inmersión. Las marcas resultantes puede corregirse, una vez seca la pieza, con un poco de barniz antes de la cocción. Si se quieren dejar áreas determinadas sin barnizar, se pintan éstas con cera, pudiendo agarrarse entonces la pieza por las partes así cubiertas. Cuando se emplean cuerpos de gres es bastante corriente dejar a la vista el bizcocho en una extensión de unos 3 cm de altura o más a partir de la base; esta zona se vitrifica, produciendo un agradable contraste con la superficie barnizada.

Vertido

La otra técnica de barnizado más frecuente en pequeños talleres consiste en verter el barniz con ayuda de una jarra apropiada de modo que fluya por el exterior de la pieza. Con frecuencia se obtienen así dibujos que pueden superponerse para crear vistosos efectos. Se pueden

(Abajo, izquierda a derecha) Barnizado del interior de una pieza; inmersión de la pieza en el barniz; escurrido para que gotee el sobrante de barniz.

utilizar distintos barnices en la misma pieza con resultados sorprendentes. Es importante efectuar los experimentos que sean necesarios sobre piezas de prueba para no aventurar los resultados. El interior de los recipientes se barniza por inmersión pero es preciso dejar que se seque por completo antes de decorar el exterior mediante vertido.

Pulverización

Es otro método corriente de aplicación de barnices. Se requiere un equipo compuesto de compresor, pistola pulverizadora y cabina con extractor. El compresor debe proporcionar una presión de unos 2,5 kg por cm². La pistola pulverizadora se conecta al compresor mediante un tubo a través del cual asciende el aire a presión, de tal modo que cuando éste es impulsado a través de la pistola recoge una parte del barniz líquido que se encuentra en un depósito en forma de copa situado por encima de ésta. La mezcla de aire y barniz sale al exterior en una pulverización de forma cónica.

El objeto que se quiere barnizar se coloca en la cabina sobre una mesa rotatoria para que pueda hacerse girar fácilmente. El extractor es imprescindible para que el barniz no sea inhalado por la persona que efectúa la operación. El barniz se aplica en capas finas que han de irse superponiendo en lugar de cubrir totalmente unas zonas después de otras.

El barniz suele salir tan atomizado que produce un acabado extremadamente delicado y susceptible de ser deteriorado al trasladar las piezas al horno. Además la película resultante queda muy débilmente adherida al bizcocho y se desprende con facilidad al menor descuido en la manipulación. Por otra parte, como esta película no es homogénea, el barniz así aplicado tiene una mayor tendencia a producir irregularidades en la cubierta durante la cocción. Por todo ello lo mejor es limitarse a humedecer simplemente la pieza con barniz, y esto se consigue sin dificultad haciéndola girar lentamente mientras se sostiene la pistola a una distancia no superior a cuarenta centímetros.

Pulverizando barnices de distintos colores sobre una misma superficie se obtienen degradados suaves e interponiendo plantillas a varios centímetros de distancia de la pieza se pueden obtener dibujos perfectamente definidos. Haciendo ensayos se consiguen incontables variaciones de esta técnica.

La pulverización es prácticamente el único sistema factible para barnizar objetos de grandes dimensiones con un acabado uniforme. Como la adhesión del barniz no depende de la porosidad de la superficie, cabe la posibilidad de recurrir a esta técnica para volver a barnizar piezas que una vez cocidas presentan defectos de acabado, así como para aplicar dos tipos de barniz con bordes bien definidos. Si se observa que la segunda capa de barniz no se adhiere bien a la cubierta anterior, cabe la solución de calentar la pieza, proceso éste un tanto aventurado, pero muchas veces inevitable. En ningún caso debe este calentamiento sobrepasar los 80 ºC, pues de lo contrario el objeto puede agrietarse al entrar en contacto con el aire y el barniz fríos.

Cuando se prepara barniz para utilizarlo con aerógrafo es de suma importancia colarlo a través de un tamiz de malla 100, pues si no se hace

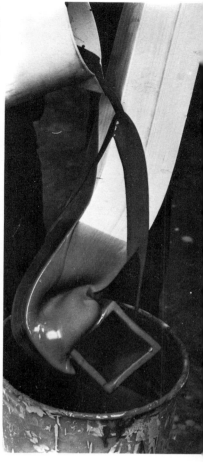

Vertido de barniz sobre una pieza.

la mezcla puede contener grumos que atascarían la boquilla entorpeciendo la aplicación del barniz. Llegado el caso de que la pulverización se interrumpa mientras se aprieta el gatillo, el método más rápido de desatascar el aparato consiste en taponar con un dedo el orificio de salida de la pintura para que el aire se vea forzado a introducirse en el depósito arrastrando con él la partícula atascada. Pero esto es simplemente una medida de emergencia, y la única solución que hay para evitar que vuelva a producirse el accidente es colar nuevamente el barniz.

Aplicación a pincel

La aplicación de barnices sobre bizcochos a modo de pintura no suele entrañar especiales problemas siempre que se cuente con pinceles que recojan la suficiente cantidad de barniz para pintar con pinceladas gruesas. Como la arcilla porosa tiende a absorber inmediatamente el agua del pincel resulta muy difícil repartir con uniformidad el barniz, de ahí que este método se utilice principalmente para aplicar un barniz contrastante sobre otro distribuido uniformemente por toda la superficie. Es casi imposible conseguir un acabado liso, utilizando únicamente este procedimiento porque el pincel comunica siempre su textura al barniz. No obstante se puede lograr una capa bastante uniforme aplicando barniz en franjas mientras la pieza gira en una rueda: en primer lugar se coloca el objeto en el centro de la rueda, luego se hace girar ésta lentamente y, al mismo tiempo se sostiene un pincel bien cargado de barniz sobre la superficie. De este modo pueden cubrirse franjas horizontales, aunque el principiante necesitará algo de práctica para lograr una aplicación densa y uniforme.

Otro método más libre de aplicar los barnices a pincel consiste en pintar la pieza con pinceladas cortas y rápidas; la operación se repite una y otra vez hasta cubrir por completo la superficie. Desde luego es un sistema un tanto aventurado, pero con él pueden obtenerse resultados de gran calidad, así como combinarse diferentes barnices en un mismo trabajo. A veces conviene aplicar una primera capa sobre toda la superficie si, por razones de funcionalidad, el objeto ha de quedar totalmente impermeabilizado.

Trazos de barniz

También se puede aplicar el barniz utilizando las perillas de goma con boquilla que normalmente se emplean para decorar con engobes la arcilla cruda. La técnica es muy similar a la ya explicada para engobes, aunque en el caso del barniz será preciso espesar éste, si se observa que tiende a escurrirse sobre las superficies verticales, bien sea preparándolo con menos cantidad de agua de lo normal, o bien, si ya estuviera preparado, calentándolo para que se evapore de él parte del agua. Esta técnica permite dibujar con los barnices y lograr efectos entrelazados combinando distintos colores. También en este caso puede cubrirse la pieza con una primera capa de barniz en caso necesario.

Esgrafiado

Un vez aplicado el barniz (o los barnices), y antes de cocerlo, se puede raspar la superficie resultante de modo que el cuerpo quede a la vista después de la cochura. Estas incisiones pueden rellenarse con otro barniz contrastante, o dejarse sin barnizar. Como el esgrafiado se hace estando el barniz ya seco, los bordes de las incisiones no suelen ser muy rectos. Esto no tiene importancia si el barniz es bastante líquido, ya que en tal caso los bordes se suavizan por sí solos durante la cocción, pero si aquél fuera mate, se incrementa la tendencia a las irregularidades en la cubierta y al descascarillado, ya que se reduce la adherencia del barniz. Resulta muy difícil reparar estos defectos y, llegado el caso, lo mejor es levantar el barniz y comenzar de nuevo, o bien conformarse con el resultado y efectuar una segunda cocción con otro barniz.

Defectos de aplicación

Los tres defectos más comunes son: *Barniz demasiado diluido*, provocado por haberse añadido demasiada agua a la mezcla o a que se haya saturado la pieza de agua después de barnizar el interior. Hay que evitar que las suspensiones de barniz queden demasiado diluidas y procurar removerlas hasta la total dispersión de las sustancias en polvo antes de su empleo. Los objetos de paredes finas o muy porosas deben dejarse secar después de cubrir una de las partes (interior o exterior) antes de aplicar la siguiente. *Escurrimientos*, debidos a una incorrecta aplicación del barniz: una vez secos se igualan con un cuchillo afilado o se frotan cuidadosamente con los dedos. *Distribución irregular del barniz*, debida a una incorrecta manipulación del bizcocho. Si se deja transcurrir demasiado tiempo entre el bizcochado y el barnizado, el polvo acumulado puede actuar como máscara impidiendo la adhesión del barniz, de igual modo que la grasa depositada en la arcilla por una manipulación excesiva.

17. Cochura del barniz

No debe creerse que la única diferencia existente entre las cocciones de alta y de baja temperatura es la temperatura máxima alcanzada. El método de estiba y el periodo inicial de la cocción varían según el tipo de barniz utilizado y la temperatura que finalmente se alcance.

BARNICES PARA ARCILLA COMUN Y LOZA

Se cuecen normalmente en condiciones de oxidación o neutras y, por lo tanto, las piezas pueden colocarse bastante próximas, aunque como mínimo hay que dejar cinco milímetros de separación entre una y otra. Las piezas que hayan sido barnizadas exteriormente por completo deben colocarse sobre caballitos para evitar que al reblandecerse el barniz queden adheridas a los estantes del horno; en caso de no hacerlo así resultaría casi imposible separar las superficies pegadas sin deteriorar alguna de ellas. Desde luego, es aconsejable evitarlo porque los estantes son caros, y no es lógico exponer las piezas a riesgos innecesarios de deterioro.

En lugar de caballitos y otros soportes se emplea a veces arena para sostener piezas de formas complejas, aunque sólo debe hacerse si éstas no están barnizadas por la base, ya que de lo contrario la arena quedaría adherida a esta parte. La arena debe utilizarse siempre con mucho cuidado allí donde el tiro del horno pueda levantarla y depositarla sobre otros objetos.

BARNICES PARA GRES

Los caballitos y otros soportes se reblandecen normalmente por encima de los 1.180 ºC, de ahí que no puedan utilizarse para cochuras de gres. Por tanto, las partes de las piezas que deban estar en contacto con los estantes han de dejarse sin barnizar.

Como la mayoría de las arcillas se reblandecen en cierta medida a partir de 1.200 ºC, los estantes para cochuras de gres deben cubrirse por la cara superior con una lechada de las que se venden en el comercio para impedir que los objetos se adhieran. Hay que poner especial cuidado en no colocarlos después con la parte cubierta de lechada hacia abajo, pues en este caso, ésta podría desprenderse en el transcurso de la cocción y dañar los objetos barnizados situados debajo.

Una vez cargado el horno (cosa que debe hacerse con cuidado y sin prisas) debe iniciarse el calentamiento de acuerdo con el tipo de horno (interruptor temperatura 50, conmutador de tres vías en posición "medio", quemadores de gas a media potencia) de modo que la temperatura ascienda a unos 100 °C por hora. El cambio alfa-beta ocurrirá nuevamente a 745 °C y ésta temperatura debe superarse despacio para conseguir una expansión uniforme del cuarzo por toda la pieza. A partir de éste punto el ritmo de incremento de la temperatura puede ser el que mejor convenga hasta alcanzar el máximo, aunque depende también del tipo de horno de que se disponga (ej. interruptor temperatura 100, conmutador de tres vías en posición "alto", quemadores de gas al máximo). La temperatura final puede mantenerse durante algún tiempo si fuera necesario para la calidad del acabado, si bien un periodo demasiado largo de temperatura mantenida puede licuar excesivamente el barniz, produciéndose escurrimientos aunque se haya aplicado éste con la consistencia adecuada. Por la misma causa se obtienen a veces acabados brillantes con barnices normalmente mates o bien ocurre que las piezas barnizadas queden adheridas a los caballitos utilizados para sostenerlas. Para evitar esto último se elimina el barniz en los puntos de contacto con los soportes. La posible conveniencia de un período de temperatura mantenida debe determinarse mediante experimentos.

Una vez alcanzada la temperatura máxima es importantísimo dejar enfriar el barniz correctamente. Para obtener acabados mates el enfriamiento debe producirse lentamente con el fin de favorecer la desvitrificación del barniz. Durante este periodo se forman los cristales que dan opacidad a éste, y si no se les concede el tiempo suficiente para completar su desarrollo su tamaño resulta excesivamente reducido produciendo un acabado más lustroso de lo que se había pretendido. Generalmente, el periodo de enfriamiento abarca desde la temperatura de maduración del barniz hasta unos 200 °C por debajo de la misma, y suele necesitar unas cuatro horas a un ritmo de unos 50 °C por hora. En algunos hornos que, debido a un aislamiento inadecuado, se enfrían con excesiva rapidez a partir de su desconexión, es necesario mantener un cierto nivel de producción de calor para evitar un enfriamiento brusco de los barnices. Si el horno es eléctrico, reducir la potencia calorífica a la mitad aproximadamente suele equivaler a un descenso de 50 °C por hora si la temperatura máxima alcanzada ha superado los 1.000 °C.

En los de gas, la cantidad de combustible necesaria para que se produzca el descenso de la temperatura al ritmo deseado debe determinarse mediante pruebas, aunque normalmente, cerrando todos los respiraderos y el regulador de tiro de la chimenea el ritmo de enfriamiento suele resultar adecuado.

Independientemente de este ritmo de enfriamiento destinado a obtener una determinada calidad de la cubierta, los barnices deben enfriarse al ritmo normal de 100 °C a la hora a partir del punto de endurecimiento (es decir, el punto en el que cada uno se endurece formando una masa sólida de vidrio, que generalmente se sitúa a 200 °C por debajo de su temperatura de maduración). Lo ideal es dejarlos enfriar a temperatura ambiente a este ritmo, aunque más despacio en los intervalos corres-

Horno cargado con piezas cubiertas con barnices de arcilla común; todas ellas se apoyan con soportes o caballitos.

Horno cargado con piezas de gres barnizadas, listo para iniciar la cocción.

161

pondientes a los cambios alfa-beta (véase página 118); por lo general, suele entreabrirse la puerta del horno hacia los 100 °C, ya que el enfriamiento desde esta temperatura hasta la ambiental se produce por sí solo muy lentamente.

BARNICES APLICADOS SOBRE PIEZAS CRUDAS

En el caso de los barnices que se aplican sobre arcilla sin bizcochar, la etapa inicial de la cocción debe efectuarse como la de un bizcochado normal (véase página 115) calentando el horno con el tapón de ventilación retirado. Una vez alcanzado el punto de maduración del barniz, el enfriamiento debe producirse según los requisitos de cada barniz.

VARIACIONES EN LA ATMÓSFERA DEL HORNO

En los hornos en los que no se produce combustión, es decir, los de mufla y los eléctricos, siempre se mantienen unas condiciones neutras o de oxidación en las que los colores y los acabados resultantes son considerablemente constantes y seguros. Aunque esto es una ventaja en muchos casos, en otros interesa conseguir unas condiciones de reducción, que han de provocarse artificialmente. En los hornos eléctricos ello comporta generalmente un riesgo de deterioro de las resistencias (véase página 34) y conviene evitarlo siempre que sea posible, si bien en algunos modelos la reducción se hace viable mediante el empleo de resistencias de carburo de silicio. En los hornos de mufla o en cualquier otro donde no se produce combustión, la atmósfera puede ser reducida introduciendo en la cámara, accidental o deliberadamente, algún material que se queme.

Son muchas las sustancias que se han empleado satisfactoriamente con este fin, desde diversos tipos de maderas hasta bolas de naftalina como las que se utilizan contra la polilla, pero el sistema más utilizado en los talleres consiste en introducir en la cámara gas ciudad o natural a través de la mirilla. Esto no entraña riesgos siempre que no se abra la espita del gas antes de ser introducida en el horno.

En los hornos de combustión del tipo de los de semimufla se pueden obtener condiciones de reducción tapando los respiraderos secundarios y cerrando parcialmente el regulador de tiro de la chimenea. En los de fabricación casera y en los antiguos para cocción de gres las condiciones de reducción son las normales, ya que con frecuencia resulta difícil introducir suficiente cantidad de aire en la cámara para que las llamas no tengan que recurrir al oxígeno, a la arcilla y los óxidos colorantes. Si en un horno alimentado con cualquier tipo de combustible, las llamas son muy largas y alcanzan el conducto de salida, es casi seguro que las condiciones en el interior de la cámara son de reducción; esto puede deberse a que el tiro es excesivo o a que la cantidad de aire que penetra a través de los respiraderos es insuficiente y no permite que el combustible arda por completo.

La duración del periodo de reducción es más cuestión de preferencias que de normas estrictas. Algunos profesionales suelen iniciar este periodo para los barnices de gres a partir de unos 1.100 ºC, continuándolo hasta que se ha alcanzado la temperatura de maduración del barniz. Seguidamente permiten que la atmósfera se estabilice por sí sola durante el enfriado. Otros prefieren reducir la atmósfera justo antes de alcanzar la temperatura de maduración y mantenerla en estas condiciones mientras el horno se enfría, mediante la ignición de combustible y el cierre hermético de la cámara, para que no exista la posibilidad de que penetre aire en ésta. Hay quienes inducen la reducción de forma intermitente y quienes lo hacen de forma constante bien sea durante el calentamiento o en el enfriado. Cada tipo de combustible, de horno y de sistema de reducción tiene sus propias características que han de estudiarse mediante pruebas.

Se puede provocar una reducción localizada en una cochura efectuada en condiciones de oxidación agregando una pequeña cantidad (hasta un 10 per ciento) de carburo de silicio al barniz, o colocando la pieza que se desea modificar en una caja refractaria junto con un agente reductor, que puede ser ceniza de madera, sellando la caja y efectuando la cocción en la forma habitual.

Tanto la loza como el gres y la porcelana pueden cocerse en condiciones de reducción, aunque sólo suele hacerse con los dos segundos y en conjunción con barnices no comerciales.

En las cocciones de gres y porcelana, especialmente si se va a efectuar una reducción de la atmósfera, hay que poner especial cuidado al colocar las piezas en el horno, pues los enseres tienen tendencia a reblandecerse en estas condiciones. Si los estantes están muy cargados de piezas demasiado pesadas, no sólo ellos pueden deteriorarse irrevocablemente, sino que además existe un gran riesgo de que se desplacen las piezas o los estantes quedando en contacto o, lo que es peor, que este deplazamiento inicie una caída en cadena, como la de las piezas de dominó, con el consiguiente desastre.

Para la cocción de barnices de loza común y bizcochados basta colocar tres puntales para cada estante, pero para gres o porcelana hacen falta cuatro.

Aquellos hornos diseñados de tal modo que permitan la penetración de las llamas por entre las pilas de objetos deben cargarse siguiendo las recomendaciones del fabricante para conseguir un calentamiento lo más uniforme que sea posible. En el caso de cocciones en condiciones de reducción es importante que el espacio entre las piezas sea amplio con el fin de que el cambio de atmósfera pueda producir plenos efectos en todas las zonas del horno. Para comprobar el desarrollo de la cocción sirve de ayuda el colocar, en un lugar donde puedan retirarse fácilmente con una barra metálica larga, algunas piezas de prueba en forma de anillos, de modo que éstas puedan irse extrayendo del horno a medida que se va modificando la temperatura con objeto de verificar la fusión del barniz y el grado de reducción (si ésta ha de producirse).

En condiciones de reducción suele generarse presión en la cámara de la mayoría de los hornos, con lo que al extraer algún tapón con el fin de inspeccionar el interior de la cámara o retirar muestras de prueba, puede surgir alguna llamarada a través del orificio. Por esta razón, deben tomarse las precauciones necesarias para evitar quemarse gravemente el rostro.

Cochura terminada del barniz de gres (con enconchamiento accidental de una pieza). Los conos pirométricos se han reblandecido con el calor e indican la máxima temperatura alcanzada por el horno.

DESCARGA DEL HORNO

Antes de descargar el horno tras la cocción del barniz es importantísimo esperar a que la temperatura haya descendido a un punto en el que ni el barniz ni la arcilla puedan sufrir un cambio brusco de temperatura al entrar en contacto con el aire a temperatura ambiente, es decir, por debajo de los 100 °C.

La descarga varía según la complejidad de la colocación de las piezas y la temperatura que se ha alcanzado en el proceso. Si se han empleado caballitos, lo normal es que quede alguna astilla de ellos adherida a los puntos de la pieza que han estado en contacto con los mismos. Estas astillas son sumamente cortantes y pueden producir heridas profundas si no se tiene cuidado. Después de retirar las piezas del horno se desprenden los caballitos golpeándolos ligeramente con una herramienta adecuada, pero aunque se separen sin dificultad quedan a veces estas astillas que, aunque diminutas, pueden ser tan afiladas como cuchillas de afeitar.

Los caballitos que ya han sido utilizados deben examinarse para comprobar si pueden emplearse nuevamente, y se tiran si tienen alguna pata rota o algún extremo que ya no resulte lo suficientemente puntiagudo. No hay nada tan irritante como ir en busca de un caballito sano a un cajón donde todos cojean.

También en los estantes pueden quedar adheridas astillas de éstos y dado el riesgo que supone el que aquéllos sean manejados por distintas personas es preciso limpiarlos concienzudamente pasando una regla metálica por su superficie para eliminar así incluso las que no se ven. Los que queden manchados de barniz se limpian con una rasqueta primero y se repasan con una regla metálica.

Si no se han empleado caballitos, o si el barniz se ha escurrido abundantemente sobre los estantes, es probable que las piezas queden firmemente adheridas. Resulta muy difícil separarlas, en este caso, y suele ser necesario sacrificar el estante para salvarlas. Para ello, se sumerge el conjunto en agua y se pica la zona unida con objeto de que el agua pueda penetrar por debajo del barniz y facilite la separación de ambas superficies. Aunque no lo consiga, al menos el agua amortiguará los golpes del picado que, de hacerse en seco, acabaría rompiendo la pieza.

Desde luego, es mejor prevenir que curar y para evitar todos estos accidentes nada hay como aplicar con cuidado los barnices, cargar el horno lo mejor posible y controlar adecuadamente la cocción.

Después de vaciar el horno hay que colocar nuevamente en su sitio los estantes y los puntales para poder hallarlos sin dificultad cuando se vaya a efectuar otra cocción. Estando los estantes limpios y los puntales seleccionados por tamaños, la carga del horno resulta una operación mucho menos enojosa y no roba al artesano las energías que éste necesita para efectuar la estiba con eficacia y sin riesgos.

18. Decoración sobre barniz

En ocasiones es necesario o conveniente volver a barnizar alguna pieza o decorarla con algún tipo de dibujo sobre el barniz. El principal problema que se presenta al aplicar un barniz sobre una superficie ya barnizada es que ésta se encuentra impermeabilizada por efecto de la cocción, y si se quiere cubrir por inmersión o por vertido resulta difícil, cuando no imposible, conseguirlo porque el nuevo barniz resbala sin adherirse. Una de las formas de solucionar este problema consiste en calentar el objeto en el horno hasta unos 80 °C (con cuidado para que no se generen tensiones innecesarias en el cuerpo o en el barniz) y a continuación sumergirlo en la mezcla. No es posible efectuar una segunda inmersión, porque la anterior quedaría sin efecto.

Para conseguir una capa densa de barniz el único sistema viable es calentar la pieza y aplicar el barniz con aerógrafo. El barniz nuevo tenderá a escurrirse cuando la pieza empiece a enfriarse, pero si, a la vez que se pulveriza en capas muy finas se va haciendo girar el objeto dejando tiempo suficiente para que cada capa se seque antes de aplicar la siguiente, se puede conseguir una adherencia aceptable. Esta técnica permite obtener efectos de gran calidad. El barniz ya cocido requiere esta segunda vez más calor para fundirse. Desde luego es posible dejar parte del primer barniz sin cubrir utilizando enmascaramiento de cera, así como aplicar óxidos sobre el segundo barniz antes de someterlo a cocción, pero es aconsejable determinar mediante pruebas las reacciones exactas de cualquier barniz ante todas estas técnicas.

Otro método que da buenos resultados consiste en aplicar un barniz de gres sobre una pieza ya barnizada con un barniz común y cocerlo a temperatura de gres (si la arcilla lo tolera). Si el barniz original fuera de gres es posible también cubrirlo con otro de loza común y cocerlo a la temperatura que se prefiera. Debe tomarse la precaución de colocar la pieza sobre una almohadilla de arcilla cocida a baja temperatura para que si el barniz escurre de forma incontrolada se recoja en la almohadilla y no se manchen los estantes del horno.

Pintura sobre barniz cocido

Si se quiere pintar con pigmentos colorantes sobre un barniz ya cocido el problema es similar al que se presenta cuando se aplica un segundo barniz, es decir, como la superficie es impermeable hay que mezclar el pigmento con algún medio que acentúe su adherencia para impedir que escurra. En la mayoría de los casos basta mezclarlo con goma arábiga.

Como ya se ha mencionado, para todos los procedimientos de barnizado o pintura es preciso extremar los cuidados para que no se desprenda ningún fragmento de la cubierta, ya que resulta casi imposible reparar cualquier deterioro sin dejar marcas antiestéticas que a veces sólo aparecen después de la cocción.

ESMALTES

Los esmaltes pueden considerarse barnices de baja temperatura y por lo general se aplican sobre otros barnices cocidos a temperaturas más elevadas. Aunque cabe la posibilidad de prepararlos en el mismo taller, el proceso es largo y existen varias marcas comerciales, con diferentes colores y tonalidades, que incorporan importantes mejoras en materia de seguridad. Hasta hace poco el plomo era un fundente imprescindible en casi todos los esmaltes, pero, teniendo en cuenta que éstos se cuecen a temperaturas bajas, los acabados resultantes son peligrosos si se ingiere cualquier líquido ligeramente ácido que, por haber estado en contacto con uno de estos acabados, se haya contaminado de plomo.

La mayoría de los esmaltes para cerámica que en la actualidad se fabrican se ajustan a las normas sobre seguridad dictadas por las autoridades competentes, aunque siempre deben seguirse las recomendaciones sobre preparación y cocción que para cada uno se especifican. Hay que extremar las precauciones para no ingerir jamás por accidente cualquiera de estos productos mientras se manipulan antes de la cocción.

Los esmaltes pueden aplicarse sobre piezas barnizadas o bizcochadas, aunque para una plena reacción del color y para conseguir el tono indicado por el fabricante, es preciso aplicarlos sobre un barniz cocido, liso y blanco. Sobre bizcochos, los esmaltes producen colores pálidos y poco homogéneos.

En cuanto a las técnicas, se utiliza el pincel, la pistola o el aerógrafo y la aplicación en polvo. La pintura exige considerable destreza para conseguir buenos resultados. En la industria se somete a los futuros esmaltadores a un periodo de aprendizaje hasta obtener la experiencia necesaria, aunque los dibujos sencillos pueden lograrse con sólo un poco de práctica. Los esmaltes se adquieren en polvo que debe mezclarse con un medio graso adecuado, el cual varía según el método de aplicación elegido. La mayoría de estos medios se diluyen con trementina, aunque otros requieren disolventes especiales.

Herramientas: moleta y plancha de vidrio o azulejo, espátula y pinceles. El esmalte debe mezclarse con uno de los varios medios grasos que se venden para este fin. Se muele el polvo con el medio elegido sobre una plancha de vidrio o un azulejo barnizado, con ayuda de una espátula o una moleta. Debe resultar una mezcla fina y sin grumos, con una consistencia que permita su aplicación sobre una superficie barnizada sin que se escurra ni deje marcas sobresalientes. La mezcla se escurre si el medio es demasiado líquido o se ha añadido demasiado disolvente. Los pinceles deben ser de marta y de la mejor calidad, o de los fabricados especialmente para este trabajo. Se pueden utilizar plantillas y otros sistemas de enmascaramiento. Todas las herramientas deben lavarse con aguarrás después de su uso.

El esmalte para pulverizar suele mezclarse con 1 por ciento de almidón y agua suficiente para obtener una consistencia semejante a la de la nata. La mezcla debe colarse a través de un tamiz de malla 250. Se requiere una pistola especial con boquilla fina y la presión del aire ha de ajustarse como recomiende el fabricante.

La pulverización debe aplicarse en capas delgadas, pero el grosor total no debe exceder de dos milímetros, pues de lo contrario el esmalte podría descascarillarse durante la cocción. También puede utilizarse un aerógrafo para dibujar líneas finas, pero conviene practicar antes esta técnica con tinta sobre papel, en lugar de con esmalte sobre barniz.

Esta técnica admite igualmente el empleo de plantillas, pero éstas han de adherirse a la superficie barnizada, lo que puede hacerse con cinta adhesiva en la mayoría de los casos. Es posible, por último, utilizar el procedimiento de esgrafiado sobre los esmaltes, aunque los bordes de las incisiones no suelen ser netos, y esto resulta un inconveniente considerable para la realización de determinado tipo de dibujos.

Aplicación en polvo

Es una técnica industrial que se lleva a cabo cubriendo en primer lugar la superficie barnizada con un medio graso. Cuando éste se ha secado hasta el punto de que al pasar un dedo por la superficie suene un chirrido, se extiende con un tampón de seda relleno de algodón en rama con objeto de eliminar cualquier marca del pincel y nivelar la superficie. A continuación se espolvorea el esmalte por encima y, si todo el proceso ha sido llevado a cabo correctamente, el polvo quedará adherido formando una capa densa y uniforme. Esta técnica debe hacerse con precauciones, ya que, por el riesgo que supondría la inhalación del esmalte se debe trabajar en el interior de una cabina dotada de extractor. Si la capa de medio graso resulta demasiado espesa cabe la posibilidad de que escurra al ser calentada durante la cocción.

Por último, es muy importante también el empleo de los esmaltes en los procedimientos litográficos o serigráficos para la obtención de calcomanías, cuya descripción detallada excede de las pretensiones de este libro, aunque se trata, en pocas palabras de lo siguiente: El esmalte se estampa sobre un papel especial para calcomanías y se cubre seguidamente con una capa de goma. Cuando ésta está seca se remoja el conjunto en agua hasta que el papel se desprende de la imagen estampada y cubierta de goma. La imagen así protegida se saca del agua, se coloca sobre la superficie barnizada y se somete a presión para que quede adherida. Durante la cocción, la goma se quema y desaparece y la imagen esmaltada queda adherida a la pieza. Las imágenes fotográficas pueden ser reproducidas por este procedimiento.

Cocción de los esmaltes

Si el esmalte ha sido aplicado con un medio graso, la cocción debe ser muy lenta en las etapas iniciales para que el aceite vaya eliminándose muy lentamente. Como en este proceso se genera humo, en los hornos eléctricos debe retirarse el tapón de ventilación.

Los esmaltes aplicados sobre barnices muy cuarteados permiten obtener un efecto llamativo semejante a una trama de color.

Por regla general los esmaltes se cuecen entre 720 y 750 ºC en condiciones de oxidación.

LUSTRES

Se asemejan a los esmaltes en que se cuecen a bajas temperaturas, pero, como su nombre sugiere, producen efectos metálicos. Es tradicional cocerlos en atmósferas reductoras. Los de fabricación industrial se venden ya suspendidos en el medio adecuado junto con un agente reductor con el fin de que puedan ser cocidos en condiciones neutras y de oxidación. Se pigmentan con sales metálicas. Sin embargo, aunque estos lustres ya preparados son muy sencillos de utilizar y cocer, los resultados que con ellos se consiguen no tienen la calidad ni la variedad de los obtenidos por métodos tradicionales. De todos modos hay quienes los prefieren debido a la calidad asegurada de los resultados frente a la variabilidad de los preparados en el mismo taller.

Los lustres ya preparados se cuecen a unos 750 ºC, y la mayor parte de ellos se comportan como indica el fabricante al ser aplicados sobre superficies barnizadas con brillo, pero en acabados mates, aunque sólo lo sean ligeramente, un lustre plateado por ejemplo puede convertirse en un gris oscuro y apagado. El dorado barato es brillante, y en cambio el de buena calidad (oro de bruñir) produce al cocerse una superficie mate que ha de abrillantarse o pulirse con lana de vidrio o un paño suave y arena especial. Con ello se le quita la espuma de la superficie dejando a la vista el color dorado. Existen lustres comerciales de muy diversos colores.

19. Técnicas especiales

RAKÚ

Se denomina rakú a un prodecimiento de cocción del barniz que consiste en quemar rápidamente en un horno precalentado el barniz aplicado sobre una pieza bizcochada. Aunque puede llevarse a cabo a temperaturas de gres, lo más corriente es hacerlo entre 900 y 950 °C.

Es preciso emplear arcillas gruesas y con grandes proporciones de chamota con objeto de que el cuerpo resultante soporte el choque térmico que se produce al introducirlo en un horno precalentado. El cuerpo más utilizado es la arcilla refractaria gruesa con una cierta proporción de chamota, y puede adquirirse ya preparado. Puede teñirse con arcilla roja y óxidos metálicos. Debido a su textura resulta muy incómodo el modelado con torno, pero puede trabajarse a mano por otros procedimientos. Es importante que la sección del objeto sea lo más uniforme posible para que la arcilla absorba el calor del horno rápida y homogéneamente, sin agrietarse y se enfríe en las mismas condiciones.

Las piezas de rakú no deben ser demasiado grandes (máximo quince centímetros en cualquier dirección), no sólo para poder manejarlas con facilidad, sino también porque las de mayor tamaño tienen una mayor propensión a agrietarse.

Los barnices apropiados para esta técnica (susceptibles de ser coloreados con óxidos metálicos apropiados) suelen contener un elevado porcentaje (de hasta el 70 por ciento) de plomo, y se cuecen a 950 °C. Las piezas pueden ser barnizadas en cuanto han sido bizcochadas y se han enfriado en condiciones normales. El barniz ha de aplicarse en una capa bastante gruesa para obtener buenos resultados y las piezas colocarse cerca del horno o encima del mismo para que se sequen del todo antes de ser cocidas.

Cocción del rakú

Se necesitan un par de tenacillas largas y unos guantes de amianto para facilitar la colocación de las piezas en el horno caliente y su extracción sin riesgo de sufrir quemaduras. Éste debe calentarse antes de ser cargado a 1.000 °C. Para evitar que se deteriore si el barniz se escurre es conveniente depositar las piezas en el suelo del horno sobre unas baldosas pequeñas.

Cuando se haya alcanzado esta temperatura y las piezas estén ya secas, se sujeta una de ellas firmemente con las tenacillas. A continuación se abre la puerta del horno y se introduce cuidadosamente la pieza dentro de éste. Es evidente que esta operación ha de hacerse muy de prisa para evitar que el horno se enfríe en exceso. El barniz tardará entre diez y quince minutos en fundirse, proceso que debe controlarse observando a través de la mirilla.

En cuanto el barniz se ha fundido, se retira la pieza y se coloca otra en el horno. Se observará que el barniz hierve fuertemente durante cierto tiempo antes de fundirse totalmente. El bórax hierve durante mucho tiempo antes de alcanzar este punto, y resulta inapropiado para el rakú a menos que se quieran obtener superficies con burbujas muy marcadas.

A lo largo de este proceso es preciso suministrar combustible al horno, a menos que éste sea eléctrico, en cuyo caso es importante comprobar que la corriente esté desconectada mientras se tiene abierta la puerta a no ser que ésta se interrumpa automáticamente.

Enfriamiento del barniz

Al retirar la pieza del horno, ésta estará cubierta por una capa de barniz fundido que irá endureciéndose a medida que vaya enfriándose a temperatura ambiente. Durante el periodo de enfriamiento el color puede ser modificado por diferentes condiciones atmosféricas. El método más común, aparte de dejar la pieza cerca del horno para que se enfríe lentamente (en cuyo caso se producen efectos oxidados), consiste en colocarla dentro de un recipiente lleno de serrín, mojado para que no arda en llamas, sino que se queme solamente en la zona más próxima a la pieza, y dejarla enfriar en dicho lugar para conseguir unos efectos de reducción característicos, por ejemplo, las arcillas de color claro se ennegrecen en las zonas desprovistas de barniz. El color quedará determinado por la presencia de óxidos metálicos, si los hubiera (véase capítulo 15).

Cuenco japonés de rakú para té. Modelado con los dedos y cocido con la técnica del rakú.

Los barnices de rakú se cuartean con frecuencia debido a los súbitos cambios de temperatura a los que son expuestos. Las piezas pueden calentarse y volverse a barnizar varias veces con diferentes barnices, y las grietas pueden cubrirse con óxidos.

Las piezas de rakú son potencialmente venenosas, debido a que suelen cocerse a bajas temperaturas con barnices con alta proporción de plomo, así que están absolutamente contraindicadas para contener alimentos. También son con frecuencia frágiles por la brevedad del periodo de cocción, pero a cambio de estos inconvenientes, resultan muy interesantes a la vez que expresan de un modo muy llamativo algunos aspectos de la cerámica.

PASTA EGIPCIA

La pasta egipcia es un tipo de cuerpo, usado al parecer por los egipcios en la manufactura de piezas de joyería y pequeñas figuras funerarias. Se caracteriza por la inclusión de fundentes solubles en cantidades suficientes para formar por sí solos un barniz al secarse y cocerse la pasta.

Los fundentes se disuelven en el agua mezclada con la arcilla, y, cuando el cuerpo se seca y el agua se evapora, éstos se depositan sobre la arcilla formando una frágil capa de cristales. El cuerpo se cuece a 950 ºC aproximadamente y, una vez producido el enfriamiento puede observarse que los fundentes se han fusionado con la sílice libre de la arcilla formando un barniz.

El hecho de que el acabado resulte defectuoso debe atribuirse normalmente a que se haya deteriorado la delicada cubierta durante la manipulación y la carga del horno o a que, debido a un ascenso muy brusco de la

Jarra inglesa de gres con vidriado de sal, Nottingham, 1771. Pieza moldeada con relieves aplicados y dibujos.

Grupo de figuras sentadas, pieza inglesa de Staffordshire, con vidriado de sal, h. 1730. La base y el respaldo están confeccionados con planchas y las figuras con planchas dobladas y detalles modelados.

temperatura durante la primera fase de la cocción, el vapor haya levantado la capa de cristales.

Otro problema estriba en que, como el barniz se forma en todas las superficies, hay que colocar caballitos o arena debajo de las piezas para impedir que se adhieran a los estantes, aunque a veces es posible raspar la capa de la base antes de la cocción sin deteriorar el resto de la pieza.

Debido a la naturaleza alcalina pura del fundente, el cobre si está presente produce azul, y otros óxidos (en particular los de cobalto y manganeso), colores muy vivos. Los óxidos colorantes pueden incorporarse a la arcilla o aplicarse a pincel sobre al barniz. Las piezas elaboradas con pasta egipcia suelen incluir arcillas de diversos colores.

173

Debido a su textura arenosa esta arcilla es difícil de modelar y resulta adecuada solamente para piezas pequeñas (diez centímetros en cualquier dimensión). Un método de formación apropiado consiste en moldearla a presión con moldes de yeso o arcilla bizcochada.

VIDRIADO DE SAL

Este tipo de cubierta, comúnmente empleado para el tratamiento de tuberías y canalones, fue uno de los primeros tipos de barniz para gres que se utilizaron en Europa, teniendo su origen en Alemania. El acabado se caracteriza por una textura semejante a la de la piel de naranja y el color varía según los óxidos que contenga la arcilla. El proceso, que es sencillo, consiste en cocer las piezas hasta la temperatura de maduración del cuerpo (generalmente 1.250 °C) y seguidamente arrojar sal en el horno. La sal se gasifica produciendo un vapor de sodio que se combina con la sílice libre del cuerpo formando un barniz. La cantidad exacta de sal necesaria para obtener una buena capa de barniz debe determinarse mediante pruebas, y depende del volumen y de las características del horno.

El interior de éste se recubre de una capa de barniz de sodio que va vaporizándose en cada cocción hasta que gradualmente se requiere una cantidad menor de sal para obtener el espesor de barniz deseado. Por la misma razón, en cada cocción se sigue formando un vidriado sobre las piezas, de ahí que resulte aconsejable hacerse con un horno ya utilizado para esta técnica o reservar uno sólo para este fin en lugar de tratar de conseguir resultados normales con cochuras sucesivas de otros barnices. El vidriado de sal produce vapores tóxicos y ha de llevarse a cabo preferentemente fuera del taller.

Apéndice 1:
Normas de trabajo

EQUIPO

Todo el equipo es potencialmente peligroso y debe utilizarse solamente después de conocer las instrucciones pertinentes.

No debe introducirse la arcilla con la mano o con la ayuda de piezas de madera en el interior de las mezcladoras. Hay que desconectar cualquier máquina antes de desarmarla o intentar repararla.

Debe comprobarse que todos los enchufes de un horno eléctrico estén desconectados antes de abrir la puerta. En el caso de los hornos de gas se deben cerrar la válvula principal y las espitas de los quemadores después del uso, y comprobar su posición cuando se quiera efectuar el encendido.

Es preciso conocer a fondo las instrucciones y consejos que los fabricantes incluyen en los manuales de uso y mantenimiento del equipo.

Deben utilizarse gafas oscuras para observar el interior del horno cuando éste está al rojo vivo.

MATERIALES

La arcilla plástica debe guardarse en un armario humidificador si es posible. Los materiales secos deben almacenarse, siempre que se pueda, fuera del taller, en recipientes herméticos marcados con etiquetas legibles que no corran el riesgo de desprenderse. Muchos materiales tienen un aspecto similar y las confusiones pueden ser caras y peligrosas.

Los colorantes deben guardarse totalmente separados de la arcilla y de los ingredientes de los barnices.

El yeso debe almacenarse lejos de la zona principal de trabajo.

HIGIENE

No deben tocarse con las manos los ingredientes de los barnices a menos que sea absolutamente necesario; es conveniente utilizar cucharones y cacillos siempre que sea posible.

Es aconsejable tener a mano un botiquín completo de primeros auxilios. Hay que lavar las heridas y cubrirlas inmediatamente con apósitos impermeables.

Se utilizará jabón, cepillo de uñas y una toalla limpia para lavarse las manos cada vez que se termine de preparar y aplicar un barniz.

Es conveniente usar una crema protectora si las manos se irritan por la constante exposición al agua.

El taller debe limpiarse regularmente.

Los cuencos o jarras que se utilicen para el trabajo no deben usarse para beber.

No se puede comer, beber ni fumar mientras se está trabajando.

Es conveniente someterse a chequeos médicos periódicos para controlar la presencia en el organismo de metales si se utilizan en el taller compuestos de plomo o cadmio.

Apéndice 2:
Información de utilidad

MATERIAL EN SUSPENSIÓN

La cantidad de material sólido de una suspensión, es decir, la cantidad de ingredientes del barniz suspendida en agua, puede expresarse con la fórmula siguiente:

$$D - 20 \times \frac{G}{G-1}$$

siendo D = el peso de 1 pinta de suspensión
(1 pinta = 0,57 l)

G = la gravedad específica del sólido

Ejemplo:

Mezcla de arcilla y agua igual a 36 onzas (1 onza = 28 g) por pinta.

D = 36 onzas

G = 2,6 (común para casi todos los minerales de arcilla)

$$36 - 20 \times \frac{2,6}{2,6-1} \text{ onzas} = 16 \times 1,625 = 26 \text{ onzas}$$

La mezcla contiene 26 onzas de materia seca

Y, para añadir 5 % de agente colorante a una pinta de suspensión:

debe añadirse $\frac{26}{100} \times 5$ onzas, es decir, 1,3 onzas

YESO DE PARÍS

Proporciones probables de yeso y agua, para moldes de yeso:

1 libra (1 libra = 0,454 kg) y 14 onzas de yeso por 1 pinta

3 libras y 12 onzas de yeso por 2 pintas de agua

En otras palabras, la relación de los pesos será:

3 : 2 yeso : agua

CONOS PIROMÉTRICOS

Conos Seger. Con un ascenso de la temperatura de 150 °C por hora.

Cono n°018 se funde a	705 °C	*014 se funde a*	820 °C
017	730	013	850
016	755	012	870
015	780	011	890

Cono n°010 se funde a	910 °C	*3a se funde a*	1,170 °C
09	935	4a	1,195
08	955	5a	1,215
07	970	6a	1,240
06	990	7	1,260
05	1,000	8	1,280
04	1,025	9	1,300
03	1,055	10	1,320
02	1,085	11	1,340
01	1,105	12	1,370
1a	1,125	13	1,410
2a	1,150	14	1,435

Conos Orton. Con un ascenso de la temperatura de 150 °C por hora.

Cono n°018 se funde a	725 °C	*02 se funde a*	1,115 °C
017	765	01	1,145
016	785	1	1,160
015	805	2	1,165
014	830	3	1,170
013	855	4	1,190
012	870	5	1,205
011	890	6	1,230
010	905	7	1,250
09	930	8	1,260
08	955	9	1,285
07	995	10	1,305
06	1,015	11	1,325
05	1,045	12	1,337
04	1,075	13	1,349
03	1,100	14	1,398

COLOR EN EL INTERIOR DEL HORNO DURANTE LA COCCIÓN

TEMPERATURA (°C)	COLOR	MATERIAL
500	rojo apagado	
750	rojo	esmaltes
1.000	rojo vivo	bizcocho y barniz de loza
1.100	rojo anaranjado	loza común
1.150	naranja vivo	bizcocho de alta temperatura
1.200	blanco anaranjado	gres, bizcocho de porcelana de
1.300	blanco	huesos
1.350	blanco azulado	porcelana

ENCOGIMIENTO PROPORCIONAL DE LAS PIEZAS DE ARCILLA

De húmedo a seco	pierde 1 parte de cada 15
a loza común	1 parte de cada 12
a gres	1 parte de cada 10
a porcelana	1 parte de cada 8

Nota: Estas cifras son aproximadas y varían ligeramente de unas arcillas a otras.

BARNICES BÁSICOS

Loza común (1.060° C)

bisilicato de plomo	80 %
arcilla de China	20 %

Para blanco, añadir hasta 8 % de óxido de estaño; para negro añadir 4 % de óxido de manganeso, 2 % de cobalto y 2 % de óxido de hierro. Para barniz mate, añadir 10 % de zinc; para barniz satinado, añadir 4 % de óxido de zinc, 4 % de óxido de estaño y 4 % de óxido de titanio.

Barniz alcalino

utilizar un barniz o una frita comercial.

Barniz de baja solubilidad (adecuado para loza de mesa)

utilizar un barniz comercial, pero no añadirle óxido de cobre como colorante.

Gres (1.280 °C)

Blanco mate

feldespato	50 %
dolomita	22,5 %
blanco de España	3,5 %
arcilla de China	24,5 %

(añadir 5 % de óxido de estaño si es necesario para aumentar la blancura)

Transparente

feldespato	70 %
blanco de España	12,5 %
arcilla de China	13 %
pedernal	4,5 %

(para negro, añadir 10 % de óxido de hierro)

De calcio mate

feldespato	20 %
blanco de España	22 %
dolomita	15 %
zinc	3 %
pedernal	40 %

(brillante donde se aplique con poco espesor).

Glosario

La relación existente entre la expansión térmica de un barniz y la del cuerpo.

ADAPTABILIDAD
(Fit)

Limpieza de asperezas o irregularidades de la arcilla o del barniz antes o después de la cocción.

ALISADO
(Fettling)

Proceso de preparación de la arcilla a mano antes del modelado con torno.

AMASADURA
(Wedge)

Deformación de una pieza debida a que la arcilla hierve o contiene burbujas de aire que se expansionan durante la cocción.

AMPOLLADO
(Bloat)

Motivo de arcilla preformado adherido a una pieza para decorarla en relieve.

APLICACIÓN
(Sprig)

Arcilla no bizcochada.

ARCILLA CRUDA
O VERDE
(Green Clay)

Estructura de contención que delimita la forma exterior de un molde, durante su manufactura.

ARMAZÓN
CAJÓN DE MOLDEO
(Cottle)

Estante de horno o bandeja para operaciones relacionadas con la cochura.

BATEA
(Bat)

Estado de la arcilla cocida pero sin barnizar.

BIZCOCHO
(Bisquit)

Una cualidad de determinados barnices al ser cocidos sobre piezas de arcilla.

BRILLO
(Gloss)

Proceso de afinado y pulimentación de la arcilla o el lustre para obtener superficies brillantes.

BRUÑIDO
(Burnishing)

Trípode cerámico que sirve para sostener los objetos barnizados en el horno evitando que el barniz fundido adhiera éstos a los estantes durante la cocción.

CABALLITO
(Stilt)

Cajón de arcilla en el que se colocan las piezas para protegerlas del contacto directo con las llamas del horno.

CAJA REFRACTARIA
(Saggar)

CALENTAMIENTO *(Heat worn)*	La relación entre tiempo y temperatura que favorece la aparición de determinadas reacciones en los materiales cerámicos y permite su desarrollo hasta el punto deseado.
CAPILAR *(Capillary)*	Espacio comprendido entre las partículas de la arcilla; está ocupado por agua antes del bizcochado y disminuye de tamaño a medida que avanza la cocción.
CLAVE *(Natch)*	Protuberancia que se deja en una pieza del molde para hacerla corresponder con una muesca efectuada en la adyacente, con objeto de facilitar el ensamblaje de las distintas piezas que lo componen.
COCCIÓN *(Firing)*	Proceso de exposición de la arcilla y los barnices a un calentamiento controlado dentro de un horno.
CONSISTENCIA DE CUERO *(Weather-Hard)*	Estado de sequedad de la arcilla justo anterior al punto en que resulta demasiado dura para poder ser trabajada.
CUERPO *(Body)*	Mezcla de arcillas y otros materiales apropiada para los distintos procedimientos de manufactura.
CHAMOTA *(Grog)*	Arcilla bizcochada y triturada que se añade a la arcilla cruda para hacer más basta su textura y reducir su índice de encogimiento.
DEFLOCULADOR *(Deflocculant)*	Material o combinación de materiales que impide que las partículas de arcilla se adhieran entre sí.
DEVITRIFICACIÓN *(Devitrification)*	Cristalización de alguno de los materiales formadores de vidrio de un barniz durante el proceso de enfriamiento.
DISGREGACION *(Slake)*	Alteración de una masa de arcilla a causa de una excesiva adición de agua.
ELECTROLITO *(Electrolyte)*	Véase Defloculador.
ENGOBE *(Engobe)*	Barbotina que se aplica sobre una arcilla para alterar el color de la pieza.
ESGRAFIADO *(Sgraffito)*	Sistema de decoración consistente en raspar la cubierta (engobe o barniz) para dejar a la vista el color de debajo.
ESTRUCTURA LAMINAR *(Laminations)*	La característica de una arcilla formada por capas separadas en lugar de una masa homogénea.
FORMACIÓN DE PLANCHAS *(Laming-up)*	Proceso consistente en formar planchas de arcilla para su utilización en determinados procedimientos de modelado o en el modelado a presión.
FRAGUADO *(Gone-off)*	Estado que presenta el yeso de París, cuando después de haber sido mezclado con agua, se ha endurecido, calentado y finalmente enfriado.
FRITA *(Frit)*	Varios materiales combinados por calentamiento para obtener un único material más fácil de utilizar y sin riesgos para la salud.
FUNDENTE *(Flux)*	Material que provoca la fusión de otros materiales a temperaturas reducidas.

Se dice del estado de una barbotina que se deposita de forma irregular sobre el molde.
GEL
(Gel)

Técnica consistente en sumergir parcialmente una pieza en un engobe para obtener manchas de color.
INMERSIÓN PARCIAL
(Window dipping)

Mantenimiento de una temperatura constante en el horno para obtener un mayor calentamiento sin incrementar la temperatura.
INTERVALO DE TEMPERATURA MANTENIDA
(Soal)

Material refractario que impide que la arcilla o el barniz fundidos se adhieran a los estantes del horno.
LECHADA
(Bat wash)

Roca semifundida del interior de la tierra.
MAGMA
(Magma)

Material que retrasa el asentamiento de los materiales sólidos en suspensión.
MEDIO PARA SUSPENSIONES
(Suspensor)

Objeto que se emplea para conformar la superficie interior de un molde y por consiguiente la exterior de la pieza vaciada.
MODELO
(Model)

Pieza de prueba o anillo de arcilla que se coloca en el horno de modo que pueda ser extraído durante la cocción con vistas a verificar el progreso de la temperatura y las condiciones de la atmósfera en el interior de la cámara.
MUESTRA DE PRUEBA
(Draw trial)

Revestimiento interior de un horno que separa totalmente las piezas del combustible en ignición.
MUFLA
(Muffle)

Solución de arcilla y agua con una consistencia espesa.
PAPILLA
(Slurry)

(1) Cualquier suspensión de materiales de barniz en agua.
(2) Barniz que puede aplicarse sobre arcilla verde para completar el bizcochado y la cocción del barniz en una sola operación.
(3) Barniz preparado con una arcilla que al fundirse se vitrifica.
PAPILLA DE BARNIZ
(Slip)

Propiedad de la arcilla de conservar su forma durante los procesos de formación y secado.
PLASTICIDAD
(Plasticity)

Mecanismo que expulsa una mezcla de líquido o gas, combustible y aire, que al salir se inflama.
QUEMADOR
(Burner)

Procedimiento de cocción muy rápida del barniz, descubierto en Japón.
RAKÚ
(Raku)

Herramienta de acero o caucho para alisar, con forma de riñón.
RASPADOR
(Kidney)

Herramienta de acero templado que sirve para eliminar el barniz y separar los caballitos adheridos a las piezas o a los estantes del horno.
RASQUETA
(Sorting tool)

La capacidad de dos o más materiales, al combinarse, de fundirse a una temperatura inferior a la del punto de fusión de cada uno de ellos.
REACCIÓN EUTÉCTICA
(Eutectic)

SILICE LIBRE
(Free silica)

La sílice contenida en un cuerpo que no interviene en la composición de las partículas de arcilla y que, por consiguiente, puede modificar su forma cristalina por efecto del calentamiento.

TEMPERATURA DE
MADURACIÓN
*(Maturing
temperature)*

Temperatura a la cual se funde el barniz o el cuerpo alcanza su punto óptimo de vitrificación sin enconchamiento.

TWADDLE
(Twaddle)

Unidad de medida que expresa la concentración de una solución de silicato de sodio.

UNIÓN MEDIANTE
RAYADO Y
BARBOTINA
*(Cross-hatch
and slurry)*

Sistema de unión de dos piezas de arcilla haciendo incisiones en ambas superficies y untándolas después con una solución de arcilla en agua (engobe).

VACIADO
(Casting)

Procedimiento de formación de arcilla en un molde con barbotina.

VITRIFICACIÓN
(Vitrification)

Formación de vidrio después de la fusión.

Indice:

ENCICLOPEDIA DE LAS ARTESANÍAS

Títulos publicados

- Tejido creativo

- Bordado en cañamazo

- Cerámica creativa

- El arte del papel maché

- Talla y dorado de la madera

- Cerámica a mano

- Trabajo del cuero

- Bisutería de peltre

- Cestería natural

- Arte y técnica del macramé

- Torneado creativo de la madera

- Cómo hacer muñecas

- Práctica de la talla de la madera

- Tapices creativos

- Decoración floral duradera

- Patchwork creativo

- Cómo hacer belenes

- Joyería creativa

- Teñido artesanal

- Terracota

- Decoración de figuras

- Origami

CÓMO HACERLO
Títulos publicados